CINQ MÉDITATIONS SUR LA MORT

François Cheng est né en 1929 dans la province de Shandong et vit en France depuis 1949. Poète, calligraphe, traducteur de la poésie chinoise en français et de la poésie française en chinois, auteur d'essais remarquables sur la culture littéraire et picturale de la Chine, il a vu son œuvre couronnée par le Grand prix de la francophonie de l'Académie française, avant d'y être élu en 2002. Ses romans (dont *Le Dit de Tian-yi*, prix Femina 1998) et ses *Cinq méditations sur la beauté* ont connu un très large succès.

Paru au Livre de Poche :

CINQ MÉDITATIONS SUR LA BEAUTÉ

LE DIT DE TIAN-YI

L'ÉTERNITÉ N'EST PAS DE TROP

QUAND REVIENNENT LES ÂMES ERRANTES

FRANÇOIS CHENG
de l'Académie française

Cinq méditations sur la mort

autrement dit sur la vie

ALBIN MICHEL

© Éditions Albin Michel, 2013.
ISBN : 978-2-253-08719-9 – 1re publication LGF

Avant-propos de l'éditeur

Pour dire l'essentiel de ce qu'il avait à transmettre sur la beauté – un thème qui, à ses yeux, engageait rien de moins que le salut du monde, comme l'avait jadis affirmé Dostoïevski –, François Cheng a éprouvé le besoin de faire un détour par l'oralité, par la rencontre d'êtres de chair et de sang. Ses *Cinq méditations sur la beauté* furent ainsi partagées avec un groupe d'amis au cours de cinq soirées mémorables, avant de l'être par l'écriture avec un large public.

Sept années plus tard, à l'âge de quatre-vingt-quatre ans, le poète ressentit comme une impérieuse nécessité de parler de la mort. De la mort, autrement dit de la vie, *puisque son propos, à la croisée des pensées chinoise et occidentale, est inspiré par une vision ardente de la «vie ouverte». Mais si la beauté avait été pour lui un thème trop vital, trop urgent pour faire l'objet d'un traité académique, que dire alors de la mort ! C'est pourquoi le même processus de circulation entre l'échange oral et l'écriture s'est imposé ici comme une évidence[1].*

Les présentes méditations sont donc, elles aussi, nées du partage, marquées du sceau de l'échange entre le poète et ses interlocuteurs. Leur lecteur deviendra lui-même partie prenante de cet échange, il pourra se compter au nombre des « chers amis » auxquels s'adresse l'auteur. Il entendra celui-ci, au soir de sa vie, s'exprimer en vérité sur un sujet que beaucoup préfèrent éviter. Le voici, se livrant comme il ne l'avait peut-être jamais fait, et délivrant une parole à la fois humble et hardie. Il n'a pas la prétention de produire un quelconque « message » sur l'après-vie, ni d'élaborer un discours dogmatique, mais il témoigne d'une vision. Une vision en mouvement ascendant qui renverse notre perception de l'existence humaine, et nous invite à envisager la vie à la lumière de notre propre mort – car la conscience

---

1. Comme les rencontres qui avaient présidé à la naissance des *Cinq méditations sur la beauté* (Albin Michel, 2008), celles dont il est question ici ont bénéficié du cadre d'une belle salle de yoga, au siège de la Fédération nationale des enseignants de yoga. Que ses responsables soient chaleureusement remerciés de leur hospitalité, notamment Ysé Tardan-Masquelier et Patrick Tomatis.

de la mort, selon lui, redonne tout son sens à notre destin, lequel fait partie intégrante d'une grande Aventure en devenir.

Nous sommes donc ici, comme dans les Méditations sur la beauté, *dans une pensée en spirale qui n'hésite pas à revenir plusieurs fois sur certains thèmes, sur certains mots, pour les réinterroger plus profondément. Cependant, cette pensée elle-même a conscience des limites du langage, car il arrive toujours un moment où la mort nous laisse sans voix. S'impose alors le silence... ou alors le poème, qui est parole transfigurée. C'est pourquoi la cinquième de ces méditations emprunte la voie poétique, pour que le chant, au-delà de la mort, ait le dernier mot.*

Jean Mouttapa

PREMIÈRE MÉDITATION

Chers amis, merci d'être venus, merci d'habiter cet espace d'accueil de vos présences. À cette heure fixée à l'avance, entre le jour et la nuit, nous nous sommes donc réunis. Et à partir de cet instant, le langage qui nous est commun va tisser un fil d'or entre nous, et tenter de donner le jour à une vérité qui soit partageable par tous.

Toutefois, pour peu que nous y réfléchissions, force nous est d'admettre que nous venons de loin. Chacun de nous est héritier d'une longue lignée, faite de générations qu'il ne connaît pas, et chacun a été déterminé par des liens de sang inextricables qu'il n'avait pas choisis. Rien n'impliquait que nous puissions avoir l'envie et la capacité d'être là ensemble, de trouver un sens quelconque à ce simple fait d'être ensemble, en ce lieu. N'est-il pas vrai que nous sommes perdus au cœur d'un univers énigmatique où, selon beaucoup, règne le pur hasard ? Pourquoi l'univers est-il là ? Nous ne le savons pas. Pourquoi la vie est-elle là ? Nous ne le savons pas. Pourquoi sommes-nous là ? Nous n'en savons rien, ou presque. Encore une fois, selon beaucoup, c'est par hasard que l'univers est un jour advenu. Au commencement, quelque chose d'extrêmement dense a explosé en milliards et milliards de débris. Beaucoup plus tard, c'est par hasard que sur un de ces débris la vie, un jour, est apparue. Rencontre improbable de quelques éléments chimiques, et hop, « cela » a pris ! Une fois le processus enclenché, « cela » pourtant n'a eu de cesse de pousser, de croître en volume et en complexité, de se transmettre et de se transformer, jusqu'à l'avènement des êtres que nous qualifions d'« humains ». Quelle importance ont ces derniers par rapport à l'existence gigantesque, pour ainsi dire sans limites, de l'univers ? Le débris sur lequel est apparue la vie est-il plus grand qu'un grain de sable au milieu d'innombrables autres débris ? Selon une vision répandue, un jour l'homme s'effacera, la vie elle-même s'effacera, sans laisser plus de trace qu'une croûte desséchée, sans que l'univers s'en rende même compte. Dans cette perspective, n'est-il pas un peu dérisoire, voire complètement ridicule, que nous nous prenions au sérieux, que

nous nous réunissions ici ce soir, et que, docte-
ment, nous nous proposions de méditer sur la
mort, et par là sur la vie ?

Comment nier cependant que, si nous
sommes là, c'est que ce questionnement
existe et qu'il nous taraude ? Qu'il existe est
déjà un indice en soi. S'il n'y avait absolument
aucun sens possible à notre existence, l'idée
même de sens ne nous aurait jamais effleurés.
Or nous savons que l'humanité, depuis toujours, s'interroge sur le pourquoi de sa présence
au sein de cet univers, univers qu'elle a appris
à connaître un peu et à beaucoup aimer. Nous
savons aussi que cette interrogation est d'autant
plus anxieuse que, dans le même temps, nous
nous savons mortels. La mort, ne nous laissant
pas de répit, nous pousse dans notre ultime
retranchement. C'est sans doute la raison pour
laquelle j'ai la témérité de me présenter devant
vous. Je n'ai pas pour cela de qualification particulière. Quelques traits, somme toute d'une
grande banalité, constituent mon identité :
je devais mourir jeune, et finalement j'ai assez
longuement vécu ; j'ai passé beaucoup de temps,
disons tout mon temps, à lire et à écrire, surtout à penser et à méditer ; je participe de deux
cultures situées aux deux extrémités du vaste
continent eurasien, suffisamment différentes

pour me déchirer littéralement, pour me féconder également si je sais m'en tenir aux meilleures parts de l'une et de l'autre. Mes paroles seront marquées par cette confrontation de toute une vie.

Disons dès à présent sans détour que je fais partie de ceux qui se situent résolument dans l'ordre de la vie. Pour nous, la vie n'est nullement un épiphénomène au sein de l'extraordinaire aventure de l'univers. Nous ne nous accommodons pas de la vision selon laquelle l'univers, n'étant que matière, se serait fait sans le savoir, ignorant de bout en bout, durant ces milliards d'années, sa propre existence. Tout en s'ignorant lui-même, il aurait été capable d'engendrer des êtres conscients et agissants, lesquels, l'espace d'un laps de temps infime, l'auraient vu, et su, et aimé, avant de bientôt disparaître. Comme si tout cela n'avait servi à rien... Non, décidément, nous nous inscrivons en faux contre ce nihilisme devenu aujourd'hui lieu commun. Nous accordons bien sûr toute sa valeur à la matière sans quoi rien n'existerait. Nous observons aussi sa lente évolution et son éveil à la vie. Mais pour nous, le principe de vie est contenu dès le départ dans l'avènement de l'univers. Et l'esprit, qui porte ce principe,

n'est pas un simple dérivé de la matière. Il partici-
cipe de l'Origine, et par là de tout le processus
d'apparition de la vie, qui nous frappe par sa
stupéfiante complexité. Sensibles aux conditions tragiques de notre destin, nous laissons
néanmoins la vie nous envahir de toute son insonda-
dable épaisseur, flux de promesses inconnues et
d'indicibles sources d'émotion.

Personnellement, j'ai une raison supplémen-
taire de faire partie de ces avocats de la vie :
je suis venu de ce que jadis on appelait le « tiers-
monde ». Nous formions alors la tribu des
damnés, des éternels crève-corps, crève-cœur,
porteurs de souffrances et de deuils, si mal gâtés
que la moindre miette de vie était reçue par
nous comme un don inespéré. Les déshérités
que nous étions avaient quelque motif de vouer
un infini amour à la vie : car de l'existence nous
avions bu toute l'eau amère ; nous en avions
goûté aussi, de temps à autre, les saveurs inouïes.

Nous autres donc, qui refusons toute forme
de nihilisme, avouons que nous disons oui
à l'ordre de la vie. C'est là rejoindre d'une certaine façon, quelles que soient notre éducation
et nos convictions, l'intuition du Tao. La Voie,
cette gigantesque marche orientée de l'univers
vivant, nous montre qu'un Souffle de vie,
à partir du Rien, a fait advenir le Tout. Comme

le matérialiste pour lequel « il n'y a rien », nous aussi parlons en effet du Rien, mais ce Rien signifie le Tout. Ainsi, nous pouvons dire, pour reprendre l'expression de Lao-zi, père du taoïsme, que « ce qui est provient de ce qui n'est pas, et ce qui n'est pas contient ce qui est ».

Voilà un mystère qui semble dépasser notre entendement. Peut-être pas complètement, car à notre très modeste échelle nous avons une expérience assez intime du Rien, du fait même que nous sommes des mortels. La mort nous fait toucher du doigt l'incroyable processus qui fait basculer le Tout dans le Rien ; elle nous donne à concevoir l'état du Non-Être. Au cours de la vie, chacun de nous a été confronté de près ou de loin à la mort d'êtres chers ou à celle d'inconnus, et sur un autre plan, nous sommes « morts » plusieurs fois nous-mêmes. Il y a là de quoi prendre conscience de l'omni-présence et de la puissance de la mort – mort individuelle, mort de l'espèce. Mais curieuse-ment, là encore, une intuition nous dit aussi que c'est notre conscience de la mort qui nous fait voir la vie comme un bien absolu, et l'avènement de la vie comme une aventure unique que rien ne saurait remplacer.

Cependant, avant de pouvoir avancer d'un pas, notre méditation se heurte tout de même à l'énigme de la mort même, une énigme qui est double : d'un côté, nous ne sommes pas en mesure de cerner la réalité de la mort – au-delà de la limite fatidique, personne n'est revenu pour porter témoignage ; de l'autre, nous n'avons pas non plus la capacité d'imaginer concrètement un ordre de vie où la mort n'existerait pas. Nous espérons tous une éternité de vie, et cette espérance est toute légitime : pris dans une aventure si pleine d'épreuves, nous sommes en droit d'y aspirer. Mais sommes-nous réellement en mesure de jouir d'une vision correcte de ce qu'on appelle la « vie éternelle » ? Saurons-nous dans quelle condition et selon quelle exigence un tel ordre de vie est envisageable ? Pour en avoir ne serait-ce qu'une idée, il nous faudrait sans doute un effort d'imagination autrement plus hardi, plus ardu. Nous y reviendrons lors de notre dernière méditation.

Pour l'heure, tentons tout de même, d'après notre expérience de la vie d'ici, d'imaginer un instant une forme d'existence dans laquelle les êtres ignoreraient totalement la mort. Ils seraient donc depuis toujours là, depuis toujours contemporains. D'ailleurs, les mots tels que « toujours » et « contemporain » n'existeraient probablement pas dans leur vocabulaire, puisque, de fait, le temps serait absent de leur univers. Tout ayant été donné depuis toujours, ils n'auraient pas l'idée d'un écoulement et d'un renouvellement, encore moins celle de la transformation ou de la transfiguration. Tout étant répétable et différable, il n'y aurait chez eux ni élan irrésistible ni désir irrépressible pour une réalisation. Ils n'éprouveraient aucun étonnement, aucune reconnaissance devant l'existence, perçue par eux comme une donnée qui se continuerait indéfiniment, et jamais comme un don inespéré, irremplaçable.

N'allons pas plus loin dans la description de ce monde supposé. Déjà, elle a le mérite de nous faire prendre conscience de ce qui fait l'essence de la notion de vie. Nous vient à l'esprit un mot qui semble caractériser cette notion, le mot « devenir ». Oui, c'est cela, la vie : quelque chose qui advient et qui devient. Une fois advenue, elle entre dans le processus du devenir. Sans devenir, il n'y aurait pas de vie ; la vie n'est vie qu'en devenant. Dès lors, nous comprenons l'importance du temps. C'est dans le temps que cela se déroule. Or le temps, c'est précisément l'existence de la mort qui nous l'a conféré ! Vie-temps-mort est un tout indissociable, à moins que ce ne soit mort-temps-vie. On peut jongler comme on veut, on ne peut échapper à ces trois entités concomitantes et complices qui déterminent tout phénomène vivant. Car si le temps nous paraît un terrible dévoreur de vies, il en est en même temps le grand fournisseur. Nous subissons son emprise, c'est le prix à payer pour entrer dans le processus du devenir. Cette emprise se manifeste par d'incessants cycles de naissances et de morts ; elle fixe la condition tragique de notre destin, une condition qui pourrait être aussi le fondement d'une certaine grandeur.

De la mort corporelle qui est cause de notre angoisse, de notre effroi, qui aux mains des criminels devient l'instrument suprême du Mal – thème auquel nous consacrerons une autre méditation –, nous découvrons donc avec effarement qu'elle est nécessaire à la vie. Nous le découvrons avec effarement ou bien avec recueillement, selon notre angle de vue, car la mort peut se révéler la dimension la plus intime, la plus secrète, la plus personnelle de notre existence. Elle peut être ce nœud de nécessité autour duquel s'articule la vie. En ce sens, révolutionnaire est le *Cantique des créatures* de François d'Assise, qui appelle la mort corporelle « notre sœur ». Un changement de perspective s'offre alors à nous : au lieu de dévisager la mort comme un épouvantail à partir de ce côté-ci de la vie, nous pourrions envisager la vie à partir de l'autre côté qu'est notre mort. Dans cette posture, tant que nous sommes en vie, notre orientation et nos actes seraient toujours élans vers la vie.

Faute de ce retournement, nous restons dominés par une vision fermée selon laquelle, quoi que nous fassions, notre vie se termine en queue de poisson, par une conclusion qui se résume en un mot : le néant. Il s'ensuit que nous voyons le déroulement de notre vie comme le séjour en prison d'un condamné à mort dont l'exécution est différée mais inéluctable, ou comme la course d'une voiture conduite par un forcené « à tombeau ouvert », jusqu'à ce que survienne l'accident à la fois imprévu et prévisible. En revanche, à envisager la vie à partir d'une compréhension approfondie de notre mort, nous jouissons d'une vision plus ouverte dans la mesure où, justement, conformément au processus de l'origine de la vie, nous prenons part à la grande Aventure, et chaque moment de notre vie est alors un élan vers la vie.

***

C'est ici que notre méditation arrive à un tournant. Pour nous aider à avancer, prêtons attention à ceux de nos prédécesseurs qui ont sérieusement abordé le problème de la mort. À l'exemple de Heidegger, nous nous fions, par-delà la spéculation philosophique, aux paroles des poètes, non pour leur lyrisme, mais en raison de la fulgurante intuition qui les a suscitées, de leur formulation éminemment incarnée. Nous pensons à celles d'Ovide, de Dante, des poètes métaphysiques anglais, de Milton et d'Eliot, et du côté français à celles d'un Baudelaire, d'un Péguy, d'un Valéry ou d'un Claudel. Mais le point de vue le plus original est incontestablement celui de Rilke. De son célèbre poème de jeunesse « Seigneur, donne à chacun sa propre mort » jusqu'aux *Élégies de Duino*, son ultime œuvre, la mort fut le thème central de sa vie. Je propose que nous nous donnions un peu de temps pour écouter sa voix. Ce serait pour moi un manquement si je ne le faisais pas, car je suis foncièrement en accord avec lui, accord qui m'est apparu comme une évidence dès ma première lecture de « Seigneur, donne à chacun sa propre mort ».

C'était peu de temps après mon arrivée en France, fin 1948 ; j'avais presque vingt ans. J'étais tellement en résonance avec ce poème que je croyais y entendre ma propre voix. Je me permets de rappeler qu'avant cette date, toutes les années de mon adolescence et de ma jeunesse avaient été placées sous le signe de la guerre : guerre de résistance contre les Japonais (1937-1945), guerre civile à partir de 1946. La Chine, en plein désordre, avait sombré dans la misère. Sur fond de combats, d'exodes, de bombardements, de maladies dont les noms sont synonymes de la mort – tuberculose, malaria, méningite, choléra… –, notre vie pendant de longues années n'avait tenu qu'à un fil. Ceux de ma génération pensaient mourir jeunes – moi, fragile de santé, plus que d'autres. Cependant, notre désir de vie n'avait jamais été aussi intense. Notre faim et notre soif d'exister étaient sans borne. Le moindre rayon de soleil, la moindre goutte de rosée nous donnaient des palpitations ; la moindre gorgée de lait de soja, la moindre bouchée de fruits sauvages nous étaient d'une saveur infinie ; la passion d'amour déjà nous empoignait, nous brûlait, goût de miel et de cendre.

Plus tard, mon premier poème en français, un quatrain, faisait écho à cette expérience :

Nous avons bu tant de rosée
En échange de notre sang
Que la terre cent fois brûlée
Nous sait bon gré d'être vivants.

Très tôt, donc, j'ai pris conscience que c'était la proximité de la mort qui nous poussait dans cette ardente urgence de vivre, et que surtout la mort était au-dedans de nous comme un aimant qui nous tirait vers une forme de réalisation. C'est ainsi qu'elle opère au sein d'un arbre fruitier, lequel passe irrésistiblement du stade des feuilles et des fleurs à celui des fruits – fruits qui signifient à la fois un état d'être en plénitude et le consentement à la fin, à la chute sur le sol. Étant entré en écriture à l'âge de quinze ans, ma forme de réalisation était la poésie. Je me répétais : « Peu importe la durée de ma vie, pourvu que je meure d'une mort qui soit à moi, que je meure en poète. » Mourir en poète, à l'instar d'un Keats, d'un Shelley, dont les portraits ornaient ma chambre.

Lisons maintenant le poème de Rilke, extrait de son *Livre de la pauvreté et de la mort* :

Seigneur, donne à chacun sa propre mort
Qui soit vraiment issue de cette vie,
Où il trouva l'amour, un sens et sa détresse.

Car nous ne sommes que feuilles et écorces,
La grande mort que chacun porte en soi,
Elle est le fruit autour duquel tout change.

Cinq méditations sur la mort

C'est pour ce fruit qu'un jour les jeunes filles
Se lèvent tel un arbre qui jaillit d'un luth,
Et que les garçons font des rêves d'hommes,
Que des adolescents à des femmes confient
Leur angoisse que personne autrement ne comprend.
C'est en ce fruit que toutes choses vues
Restent éternelles, même depuis longtemps effacées
Et tous ceux qui créent et bâtirent l'enveloppèrent
D'un univers, le gelèrent, le fondèrent,
L'irriguèrent de vent et de lumière.
En lui, toute chaleur s'est résorbée :
Le cœur et l'ardeur blanche des cerveaux...

Mais tes anges, Seigneur, telles des nuées d'oiseaux
Passent ; ils trouvent tous ces fruits encore verts[1].

Rilke émet l'ardent souhait que la mort de chacun soit une mort qui lui appartienne, parce que née de lui tel un fruit. Et il ne manque pas de constater, comme nous le faisons tous, que si le fruit tombe au sol, il se retrouve près des racines ; fécondant le sol, il participe au pouvoir régénérateur de celles-ci. Les racines sont à la fois le lieu de la mort et de la naissance. Aussi, dans

---

1. Les citations de R. M. Rilke suivent la traduction de son ami Maurice Betz, parfois adaptée ici par l'auteur (*Poésie*, Éd. Émile-Paul Frères, 1938).

d'autres poèmes, recommande-t-il de nous tenir là où sont les racines, c'est-à-dire là où aura lieu notre propre mort. Cette recommandation n'est nullement inspirée par un sentiment mortifère. Car rejoindre à l'avance sa propre mort, c'est rejoindre la source de la vie, c'est rejoindre plus loin l'Origine d'où est partie l'impensable aventure qui, à partir de Rien, a fait advenir le Tout. Chez Rilke, c'est le commencement d'un renversement de perspective, celui-là même que nous avons cerné plus haut : au lieu de dévisager la mort à partir de ce côté de la vie, envisager la vie à partir de la mort.

Par la suite, Rilke élargira sa vision. Mais d'ores et déjà, nous remarquons une singulière coïncidence : l'intuition du poète correspond de près à la grande leçon dispensée par Lao-zi dans le *Livre de la Voie et de sa vertu*. Lao-zi affirme, au chapitre 25, que la marche de la Voie est circulaire :

Telle est la mère de l'univers.
Dépourvue de nom, je l'appelle Voie,
Faute d'autres mots, je la dis grande.
Grandeur signifie étendue,
Étendue signifie éloignement,
Atteindre au loin et effectuer le retour.

Et au chapitre 40 nous pouvons lire :

Retour, le mouvement de la Voie,
Faiblesse, la loi de son usage,
Toutes choses naissent de ce qui est,
Ce qui est de ce qui n'est pas.

Plus tard, la pensée taoïste compare la Voie à un fleuve. Celui-ci, avant de se jeter dans la mer, semble suivre un cours irréversible, en pure perte. En réalité, durant son écoulement, une partie de ses eaux s'évapore et monte dans le ciel. Là, elle se transforme en nuages, pour retomber ensuite en pluie sur les montagnes, qui vont réalimenter le fleuve à sa source. Telle est la loi fondamentale du fonctionnement de la vie, que la tradition poétique et picturale chinoise a mise en évidence bien avant la constitution récente de la science écologique.

À l'instar de la marche circulaire de la Voie qui n'a de cesse de regagner l'Origine pour se ressourcer, Lao-zi invite chacun à effectuer de même en sa propre vie le « retour précoce[1] ». Celui-ci signifie justement le retour aux racines, le retour à l'Origine où se trouve la source

---

1. *Livre de la Voie et de sa vertu*, chap. 16, 28, 33, 52, 59.

de la vraie Durée. Nous pensons ici irrésistiblement à ces vers de Rilke :

Devance tous les adieux, comme s'ils étaient
derrière toi, ainsi que l'hiver qui justement s'éloigne.
Car parmi les hivers il en est un si long
qu'en hivernant ton cœur aura surmonté tout.

Rilke ne connaissait pas le taoïsme. En tant
que poète de langue allemande, il fut d'abord
marqué par les grandes figures de la poésie
germanique : Goethe, Hölderlin, Novalis,
Heine, etc. Il se trouve qu'en plein romantisme,
Goethe et Hölderlin avaient connu tous deux
l'expérience de la mort à travers la passion
amoureuse. On sait que Goethe, au terme d'un
amour extrêmement malheureux, avait écrit
Werther. Après la lecture de ce livre, beaucoup
de jeunes, désespérés eux aussi par l'amour,
s'étaient donné la mort. Goethe lui-même
avait été sauvé par l'écriture. Depuis lors, sa
vie durant, il n'avait jamais oublié l'injonc-
tion qu'il s'était lancée à lui-même en même
temps qu'il la proposait au monde : « Meurs et
deviens ! » Hölderlin, quant à lui, avait noué
un amour absolu mais impossible avec Suzette
Gontard, femme mariée. Celle-ci en était morte ;
lui avait sombré dans une forme de folie tout en

continuant à composer de courts poèmes peu à peu apaisés. Auparavant, dans ses grandes pièces, il avait exprimé son aspiration à l'Ouvert. Rilke fit siennes ces deux notions, « meurs et deviens » et « tendre vers l'Ouvert », qui lui permirent d'élargir sa vision globale de la vie et de la mort.

L'Ouvert, dans l'optique de Hölderlin, désigne cet état d'être ou cet espace infini qui contient certes la mort, mais qui n'est pas entravé par la conscience de la mort, ni clôturé par elle. Plus concrètement, Rilke le traduit par la notion de « Double-royaume », qui unit les deux versants de la vie et de la mort, et il nous invite à nous situer en son cœur, au lieu de nous accrocher à un seul de ses versants. Dans la première des *Élégies de Duino*, il affirme :

> *Mais les vivants font l'erreur de trop distinguer.*
> *Les anges, dit-on, ne sauraient s'ils se meuvent*
> *Parmi les vivants ou les morts.*
> *Le courant éternel charrie tous les âges, au travers*
> *Des deux royaumes, et dans tous les deux*
> *Sa grande rumeur domine leurs voix.*

Dans un des *Sonnets à Orphée*, contemporains des *Élégies*, il confirme :

Première méditation

Seul qui déjà éleva sa lyre
Jusque parmi les ombres
Peut pressentir et proclamer
La louange infinie.

Seul qui avec les morts a mangé
Le pavot, leur pavot,
Ne perdra plus jamais, fût-ce
Le plus léger des sons.

Le reflet dans l'étang souvent
Se trouble à nos yeux;
Connais la vraie Image.

Dans le Double-royaume enfin
Les voix se feront
Tendres et éternelles.

À propos de l'Ouvert, Rilke fait remarquer par ailleurs que les hommes ont à apprendre des animaux. Car ceux-ci, quand ils ouvrent les yeux, voient l'Ouvert, et quand ils courent, ils vont vers le pur espace sans limites, alors que les humains, dès l'enfance, sont dressés à tourner leurs yeux vers le seul monde tangible, censé être sécurisé, donc soigneusement clos. De ce monde clos, on évacue l'ombre de la mort, sans réussir à bannir l'idée d'un terme conçu comme ruine ou naufrage, terme duquel on approche chaque jour davantage. Heidegger ne dit-il pas : « Dès qu'un homme est né, il est assez vieux pour mourir » ? On lit dans la huitième élégie de Rilke :

> *Ce qui est au-dehors, nous ne le connaissons*
> *Que par la vue de l'animal ; car dès l'enfance*
> *On nous retourne et nous contraint à regarder*
> *En arrière le monde des formes, et non l'Ouvert*
> *Qui dans les yeux de l'animal est si profond,*
> *Libre de mort. Nous les humains, nous ne voyons*
>   *qu'elle.*
> *L'animal libre a toujours son déclin derrière lui ;*
> *Devant lui, Dieu. Quand il avance, c'est*
> *Vers l'éternel, comme coule une source.*

Le poète n'a jamais oublié le souvenir vivace d'un soir de printemps en Russie évoqué dans ses *Sonnets à Orphée* (I, 20) : un cheval blanc venu du village pour passer la nuit dans la prairie galopait en toute liberté, et sa crinière battait l'encolure au rythme de la circulation de son sang, laquelle résonnait aux ondes circulaires qui animaient l'univers. Cette scène nous paraît, une fois de plus, proche de la vision taoïste. Elle nous fait penser d'ailleurs à deux vers célèbres de Du Fu, adressés à un coursier de Ferghana :

Première méditation

Là où tu vas, point de limite,
À toi, on confierait mort et vie !

***

Chers amis, nous arrivons à cette heure qui annonce la nuit, ce moment où finit le jour, où prend naissance un autre jour. Nous sentons passer le vivifiant courant du temps : nous nous y soumettons, nous y consentons. Acceptons donc le renversement de notre posture, et par là de notre perspective. Acceptons de ne pas nous accrocher seulement à ce seul versant de la vie, mais de nous situer au cœur du Double-royaume, où nous jouirons d'une vue plus globale de notre devenir personnel au sein du devenir universel. Là, dans le sens de l'incessante marche de la Voie qui va du Rien vers le Tout, du Non-Être vers l'Être, nous pourrons, nous aussi, depuis notre fond le plus intime, suivre la démarche qui va de la mort à la vie – et non de la vie à la mort – en vue du fruit de l'âme qui absorbera douleurs et joies, larmes et sang.

Je ne voudrais pas oublier de signaler que le cœur du Double-royaume est l'espace par excellence où se noue le dialogue entre les vivants et les morts. Précisons qu'il ne s'agit pas là de se complaire dans l'univers de ces derniers. Le dialogue en question concerne tout simplement des êtres qui ont vécu comme nous, qui portent en eux toute la soif et la faim, tout un monde de désirs inachevés, et vivent un autre état de vie. Au cœur du Double-royaume donc, les morts ne sont plus, comme il arrive si souvent de nos jours, des personnes qu'on a transportées comme des mourants anonymes dans un coin de l'hôpital, puis, la mort survenue, dans un coin de la morgue, et enfin dans une boîte à cendres après l'incinération – des personnes à qui l'on évite de trop penser. Ici, au contraire, leur rumeur nous parvient, infiniment émouvante et éclairante, murmures qui sourdent du cœur, paroles proches de l'essence, comme filtrées par la grande épreuve. Car avec les morts nous gagnons à rester tout ouïe : ils ont beaucoup à nous dire. Étant passés par la grande épreuve, ils sont en quelque sorte des initiés. Ils sont à même de repenser et revivre la vie autrement, de jauger la vie à l'aune de l'éternité. Ils peuvent veiller sur nous comme autant d'anges gardiens. À condition que nous ne soyons pas assez ingrats pour les ranger aux oubliettes, ils peuvent quelque chose pour nous. Oui, ils peuvent, à leur manière, nous protéger. Cette façon de voir peut nous aider aussi à surmonter le chagrin lorsque nous sommes en deuil.

Si je m'exprime ainsi, c'est aussi parce que je viens d'un pays qui a cultivé durant des millénaires le culte des ancêtres – même si aujourd'hui cette pratique est en voie de disparition en Chine. Au niveau d'une famille ou d'un village, le temple conservait le registre où étaient inscrits les noms des ancêtres, qu'on apprenait à vénérer. Dans beaucoup de maisons était installé un autel qui leur était dédié. Le jour des Morts, plusieurs générations se réunissaient autour des tombes, que chacun faisait le geste de balayer en se prosternant. On pouvait aussi prendre sur place un repas ensemble, dans une ambiance de communion confiante et apaisante.

Patiente et poignante lignée humaine ! Remontant si loin, elle n'est pas pour autant perdue dans la nuit des temps, en une traînée de fumée, elle est concrète, elle est vivante. Notre impression d'avoir derrière nous une foule d'innombrables anonymes évanouis dans la brume du passé est fausse. Car, en réalité, on compte seulement trois ou quatre générations par siècle et trente ou quarante par millénaire – c'est relativement peu, aussi nos ancêtres nous sont-ils beaucoup plus proches que ce que nous croyons. Il y a là une transmission de promesses et d'espoirs qui nous oblige à la dignité et qui donne, jusqu'à un certain degré, valeur et sens à notre destin.

Ne pas oublier les morts, c'est donc, dans un sens plus universel, apprendre la gratitude envers eux et, à travers eux, envers la vie. N'avons-nous pas depuis notre enfance, pour que nous soyons en vie, bénéficié des soins et des bienfaits d'un nombre insoupçonné de personnes : de nos parents bien sûr, d'autres parents proches et, au-delà de la famille, des amis, des médecins, des inconnus qui par un geste nous ont épargné un péril. Beaucoup d'entre eux ne sont plus de ce monde. Si nous poussons plus loin notre considération, nous devrions penser plus souvent aussi à tous les soldats qui se sont sacrifiés durant les guerres de défense, à tous les sauveteurs qui ont donné leur vie lors des catastrophes, à tous les savants de divers domaines qui ont permis à l'humanité de vivre mieux et plus longtemps. L'humanité se retrouve dans chaque individu, et chaque individu, s'il épouse la vie, prend part à l'aventure de l'humanité qui est partie intégrante d'une aventure bien plus vaste : celle de l'univers vivant en devenir.

Quel est l'Ouvert possible pour l'humanité et pour chacun de nous ? Question légitime à laquelle nous ne sommes certes pas en mesure de donner une réponse définitive. Il est néanmoins permis d'en parler, ce que nous ferons dans notre ultime méditation.

Pour résumer tout ce que nous avons pu avancer jusqu'ici, redisons ceci : incorporer la mort dans notre vision, c'est recevoir la vie comme un don d'une générosité sans prix – « La mort, écrit Pierre Teilhard de Chardin, est chargée de pratiquer, jusqu'au fond de nous-même, l'ouverture désirée » ; fermer les yeux devant la mort en se barricadant contre elle, c'est au contraire rabaisser la vie à une chiche épargne dont on compterait les dépenses sou par sou, au jour le jour.

Écoutons, pour finir, la grande voix d'Etty Hillesum, qui fut gazée par les nazis à Auschwitz. Auparavant, déjà menacée mais en pleine vie encore, elle avait un jour noté dans son journal : « En disant : "J'ai réglé mes comptes avec la vie", je veux dire : l'éventualité de la mort est intégrée à ma vie ; car regarder la mort en face et l'accepter comme partie intégrante de la vie, c'est élargir cette vie. À l'inverse, sacrifier dès maintenant à la mort un morceau de cette vie, par peur de la mort et refus de l'accepter, c'est le meilleur moyen de ne garder qu'un pauvre petit bout de vie mutilée, méritant à peine le nom de vie. Cela semble un paradoxe : en excluant la mort de sa vie, on se prive d'une vie complète, et en l'y accueillant, on élargit et enrichit sa vie[1]. »

---

1. *Une vie bouleversée*, Seuil, 1985.

DEUXIÈME MÉDITATION

Chers amis, une fois de plus nous sommes là, réunis, parce que nous sommes préoccupés par un thème qui nous est commun, ce thème de la mort devant lequel personne ne peut se dérober. La dernière fois, j'ai proposé d'inverser notre regard : au lieu de dévisager la mort à partir de ce côté-ci de la vie, nous pourrions envisager la vie à partir de notre mort conçue non comme une fin absurde mais comme le fruit de notre être. Car au sein d'un monde aléatoire, hérissé d'imprévisibles, nous ne possédons qu'une certitude absolue : chacun de nous doit mourir un jour.

Pour autant, n'aurions-nous plus rien à dire devant cet absolu ? Je ne le pense pas, pour la simple raison qu'à cause de la vie la mort ne nous paraît pas tout à fait un absolu. En réalité, si la vie n'existait pas, il n'y aurait pas de mort. Celle-ci étant la cessation d'un certain état de vie, son « absolu » ne peut être issu d'elle-même :

il n'a pu être imposé que par un autre encore plus absolu, si je puis dire, à savoir ce par quoi la vie est advenue. Cette Origine a imposé la mort comme une de ses propres lois et, de ce fait, la mort même est devenue une des preuves de l'absolu de la vie. Nous ne pouvons penser la vie sans penser la mort, pas plus que nous ne pouvons penser la mort sans penser la vie. Mais au sein de ce binôme insécable, c'est la vie qui a la prééminence. La mort aura-t-elle le dernier mot ? Rien n'est moins sûr.

Précisons sans tarder une chose, quitte à la développer plus tard au fur et à mesure de nos méditations : l'absolu de la vie signifie que, s'offrant en don à chacun, elle est aussi une exigence. Elle implique un certain nombre de lois fondamentales qui sont garantes d'une vie ouverte et, partant, de la vraie liberté. Vivre ne se limite pas au fait d'exister corporellement. Vivre engage l'être entier, composé d'un corps, d'un esprit et d'une âme. Vivre engage en outre l'être individuel dans l'aventure de l'Être même. Chacun de nous est relié aux autres, et tous nous sommes reliés à une immense Promesse qui assure depuis l'Origine la marche de la Voie. Dans cette reliance foncière qui se vérifie à tous les étages, il y a, entre chaque destin et ce qui préside à la destinée de l'univers, comme un pacte, comme une alliance impliquant de tacites responsabilités. La pensée chinoise, pour désigner ce qui est dévolu à chaque vie, propose la notion de «mandat du Ciel». Chacun se doit d'assurer ce mandat jusqu'au bout, sans l'interrompre artificiellement. C'est en affrontant justement les épreuves de ce «bout» que l'être se révèle à sa vérité irréductible, à sa part irremplaçable. C'est pourquoi le suicide, quoi qu'on en dise, est perçu en général comme un drame par rapport à l'Être, une sorte d'échec.

La vie a la prééminence, disais-je. Mais cela n'enlève rien au fait que nous sommes dans le pétrin. Nous autres humains sur terre, nous sommes pris dans un implacable engrenage : la certitude de mourir sans en connaître ni le jour ni l'heure devient en nous la source de toutes les incertitudes. Malgré nos mille mesures visant à nous sécuriser, nous vivons sous la menace de maladies, d'accidents, de conflits meurtriers, de pertes d'êtres chers. D'où notre permanente angoisse. Compte tenu de cette situation, il y a bien lieu de parler du miracle d'être là ensemble, de partager ce rare bonheur d'un vrai échange.

Je viens de prononcer les mots «miracle» et «bonheur». Il n'est sans doute pas exagéré

d'accoler ces deux vocables : le bonheur nous
paraît miraculeux parce qu'il n'est pas fréquent
ni surtout durable. Notre conscience de la mort
de toutes choses fait que les bonheurs les plus
lumineux qu'il nous arrive de goûter sont
toujours voilés d'une brume de regret. Chacun
peut vérifier ce point par ses souvenirs intimes.
Au lieu de fouiller dans les miens, je me conten-
terai d'évoquer une scène relatée par François
Mauriac.

L'académicien rendit un jour visite à son
confrère Maurice Genevoix. Celui-ci, secré-
taire perpétuel de l'Académie, résidait au palais
Mazarin. L'appartement dévolu à cette fonction
donnant sur la Seine, il jouit d'une des plus
belles vues de Paris : au centre est amarré le pont
des Arts, comme une péniche chargée de rêves
anciens, avec, plus loin, à sa droite, le Vert-
Galant guidant le glorieux cortège architectural
de Notre-Dame et de la Conciergerie, tandis que
sur l'autre rive se déploie le palais du Louvre
dont la superbe rythmique défie les siècles.
En ce soir de printemps, la clarté rose du couchant, mêlée à l'eau du fleuve, unissait ciel et
terre en un ensemble aussi doux et léger que
les mouettes voltigeant çà et là, ou que les nuages
voguant au loin, insoucieux. Les deux hommes,
déjà dans leur grand âge, restèrent longtemps

muets d'émotion. Jusqu'à ce que Genevoix lâche dans un murmure : « Et dire qu'il faut laisser tout cela ! »

« Et dire qu'il faut laisser tout cela ! » Phrase mélancolique qui a le don de nous rappeler qu'aucun bonheur n'est indéfiniment répétable, que tout bonheur est miracle. Cela étant, il n'en demeure pas moins que la promesse du bonheur constitue le versant clair de la vie. En dépit des malheurs nombreux que celle-ci nous réserve, elle offre tout de même un nombre possible de bonheurs petits ou grands, si bien qu'un esprit positif pourrait se permettre d'affirmer que, de fait, la vie est truffée de miracles – sans compter qu'elle est elle-même une apparition miraculeuse. Immense paradoxe donc : la conscience de la mort qui nous taraude est loin d'être une force purement négative, elle nous fait voir la vie non plus comme une simple donnée, mais bien comme un don inouï, sacré. Elle nous insuffle le sens de la valeur en transformant nos vies en autant d'unités uniques. Nous vient ici à l'esprit l'adage lapidaire de Malraux : « Une vie ne vaut rien, mais rien ne vaut une vie. »

Unicité de chaque vie, voilà une notion qui nous fait monter d'un cran dans la compréhension de l'aventure humaine. Cette unicité ne se limite pas au seul corps humain, elle se constate partout dans la nature : pas une feuille ne ressemble à une autre feuille, pas un papillon n'est pareil à un autre papillon. Chez les humains, l'unicité en question implique aussi tout le travail de l'esprit et toute la révélation de l'âme. C'est l'être de chacun en son entier qui est unique et qui, sur fond de mort, se forge un destin singulier. « La mort transforme la vie en destin », a encore dit fort justement Malraux. De ce fait, l'univers n'est pas un simple ramassis d'entités qui s'agitent aveuglément, il est formé par une extraordinaire multiplicité d'êtres dont chacun, mû par le désir de vivre, suit un trajet orienté, un trajet qui lui est absolument propre. Une force irrésistible nous met dans l'urgence d'aller de l'avant. Et cette force, nous le savons, n'est autre que le temps irréversible.

Le temps est bien le grand ordonnateur qui entraîne l'ensemble des vivants dans le formidable processus du devenir. Au cœur de ce processus, les humains, seuls conscients d'être des mortels, se trouvent dans une situation toute particulière. Chaque humain, à un moment ou un autre de son existence, prend la mesure du fait que son unicité lui est à la fois un privilège et une limitation. Il n'ignore pas que le temps ne lui est pas accordé indéfiniment, que le temps restreint qui lui est imparti le presse de vivre à plein. Cette logique ne risque-t-elle pas d'enfermer l'individu dans une effrayante posture d'orgueil et d'égoïsme ? Ce risque est bien réel, il est une des sources du mal. Sur ce point, nous aurons l'occasion de revenir dans une autre méditation. Constatons pour l'heure ce que nous enseigne le simple bon sens : si je suis unique, c'est que les autres le sont aussi, et plus ils sont uniques, plus je le suis moi-même. D'autant que mon unicité ne peut se prouver et s'éprouver qu'à travers la confrontation ou la communion avec celle des autres. Là commence la possibilité de dire « je » et « tu », là commencent le langage et la pensée – et cela se vérifie de façon intense dans les liens d'amour. Ainsi, par-delà tous les antagonismes inévitables, il existe comme une solidarité foncière qui s'établit entre les vivants. On finit même par comprendre que le bonheur recherché provient toujours d'une rencontre, d'un échange, d'un partage.

***

À la lumière de ce que nous venons de dire, notre réunion ici ce soir prend un relief qui sort de l'ordinaire. Si l'énigme de la mort nous a poussés à venir, c'est que chacun de nous est porteur d'une histoire chargée de rêves et de quêtes, d'épreuves et de souffrances, d'interrogations et d'espérance. Chacun est désireux de confronter son expérience à celle des autres, persuadé qu'une vérité de vie surgira de ce que les Chinois appellent le souffle du Vide médian, ce souffle suscité par une authentique intersubjectivité. Et pourtant nous savons que, cherchant cette vérité de vie, nous ne pourrons pas nous attendre à une réponse simple, formulée sèchement en théorème, puisque nous constatons qu'il n'y a pas que nos vies qui soient en devenir, que l'aventure de la vie elle-même l'est également. De fait, nous n'obtiendrons pas la Vérité, qui ne peut se posséder, mais ce qui nous importe avant tout, c'est d'*être* vrais : lorsqu'on est vrai, au moins a-t-on une chance non pas d'avoir la Vérité, mais d'être *dans* la Vérité. Mettons-nous alors, sans prétention et désarmés, devant le grave défi qui se présente à nous. À partir de notre « commune présence », pour reprendre une expression de René Char, tentons une recherche commune.

Pour le moment, je parle seul, mais d'ores et déjà, un échange se fait à travers l'entrecroisement des regards et des pensées ; bientôt, il sera animé pleinement par la magie du verbe qui, à son meilleur, aura le don de nous propulser vers le règne de l'infini. C'est que je connais toute la vertu des vrais dialogues : dialogue socratique, dialogue confucéen, dialogue entre Abélard et Héloïse, entre Montaigne et La Boétie, entre l'homme et la nature, entre l'homme et la transcendance, entre les vivants et les morts... Dans le dialogue sous-tendu par la sympathie, semé d'inattendus et d'inespérés, celui qui parle ne sait pas ce que son interlocuteur va dire ; il ne sait pas non plus ce que lui-même va dire lorsque l'autre se sera exprimé. On avance ainsi pas à pas vers l'inconnu de l'esprit, vers la résonance des âmes, vers un in-fini ouvert. C'est là un miracle de plus : entre les êtres marqués par la finitude jaillit une joie propre à l'infini. Et nous sentons confusément que la vérité de vie que j'évoquais à l'instant doit se cacher dans ce va-et-vient sans fin.

Sans fin ? Déjà susurre à nos oreilles la voix du Ricaneur : « Mais voyons, *tout* a une fin ! » Nous-mêmes, nous n'avons pas besoin d'être convaincus que dans peu de temps nous ne serons plus ensemble pour prolonger cette expérience de l'infini. Il nous reste donc à nous joindre au chœur des lamentations : « Vanité des vanités, tout est vanité » (l'Ecclésiaste), « Passons, passons, puisque tout passe » (Apollinaire)... À moins qu'un sursaut de dignité

ne nous saisisse. Un sursaut qui proclame haut
et fort nos présences ici et maintenant. Car,
aussi indéniable qu'irrévocable, le fait est là :
rien ne peut plus faire que nous ne soyons là.
Certes, tout glisse entre nos doigts. Certes,
nous ne pouvons rien retenir. Une seule chose
cependant est en notre possession, une chose
qui n'est pas rien : l'instant. L'instant de vraie vie
comme en ce moment. Cela, nous en sommes
aussi certains que nous le sommes de notre
mort un jour. À côté de la certitude de la mort,
il y a en nous cette certitude d'être les maîtres
de l'instant.

L'instant n'est pas synonyme du présent :
le présent n'est qu'un chaînon ordinaire
dans l'ordre chronologique ; l'instant, lui,
constitue un moment saillant dans le déroulement de notre existence, une haute vague
au-dessus des remous du temps. De manière
fulgurante, au sein de notre conscience, l'instant cristallise nos vécus du passé et nos rêves
du futur en une île surgie de la mer anonyme,
une île soudain éclairée par un intense faisceau
de lumière. L'instant est une instance de l'être
où notre incessante quête rencontre soudaine-
ment un écho, où tout semble se donner d'un
coup, une fois pour toutes. C'est une telle expérience privilégiée que traduit l'expression

paradoxale « instant d'éternité ». Ainsi parlait Friedrich Nietzsche, que cite le poète Jean Mambrino dans *L'Hespérie, pays du soir* : « Admettons que nous disions "oui" à un seul et unique moment, nous aurions ainsi dit "oui" non seulement à nous-mêmes, mais à tout ce qui existe. Car rien n'est isolé, ni en nous ni dans les choses, et si même une seule fois la joie a fait retentir notre âme, toutes les éternités étaient nécessaires pour créer les conditions de ce seul moment, et toute l'éternité a été approuvée, justifiée dans cet instant unique où nous avons dit "oui". » Nous sentons, confusément mais profondément convaincus, que l'instant tel que nous venons de l'évoquer s'apparente, par sa saveur de plénitude, à ce que doit être l'éternité.

Faisant une furtive allusion à l'éternité lors de la précédente méditation, j'admettais que de fait personne n'est capable d'imaginer comment elle se présente. Néanmoins, bien timidement, je pense pouvoir dire ce qu'elle n'est pas. S'agissant d'une éternité *de vie*, elle est tout sauf une interminable et monotone répétition du même. Elle doit être une formidable succession de moments saillants animés par de continuels élans vers la vie. En un mot, elle est faite aussi d'instants uniques. Dans ce cas, les instants uniques tels que nous pouvons

les connaître en cette vie, rivière de diamants
ou chapelet d'étoiles reliés par la mémoire,
constituent une durée qui a déjà goût d'éternité.
Résonne en nous le chant spontané de Rimbaud
devenu nôtre :

Elle est retrouvée.
Quoi ? L'éternité,
C'est la mer allée
Avec le soleil.

Intuitivement, Rimbaud a saisi que l'éternité
se trouve dans l'instant, se vit en l'instant, instant
de rencontre où l'élan vers la vie et la promesse
de celle-ci coïncident.

« Mais qu'est-ce donc que l'élan vers la vie ?
Et surtout *à partir de quoi* pourrait-il naître
en nous ? » se demandent tant de personnes
perdues, découragées, qui ne savent plus où
trouver la force de cet élan. À cette question
il n'y a pas de réponse satisfaisante, mais j'oserais
malgré tout répondre : *à partir de rien.*

***

Il nous faut ici marquer une pause pour nous
expliquer sur ce paradoxe, sur ce « rien » que
nous avons déjà évoqué, et qui ne doit surtout

pas être confondu avec le néant. Contenant la promesse du Tout, le Rien désigne le Non-Être, ce Non-Être n'étant autre que ce par quoi l'Être advient. La notion de Non-Être est nécessaire, car c'est seulement à partir d'elle qu'on peut réellement concevoir l'Être.

Pour dépeindre l'état originel du Tao, Lao-zi emploie les termes *Xu*, le « Vide », ou *Wu*, le « Rien ». Ce dernier peut être traduit plus correctement par « Il n'y a pas » ou « Il n'y est pas ». Zhuang-zi (IVᵉ siècle avant J.-C.), le grand penseur taoïste, épouse cette vision, lui qui dit « ce qui engendre toutes choses ne peut être une chose », « il est par-delà les êtres, invisible et sans forme, le *Wu* ». Aussi bien le *Xu* que le *Wu* ont un aspect dynamique, dans la mesure où ils sont liés à la notion du *Qi*, le « Souffle ». Pour nous en convaincre, il nous suffit de lire ce célèbre passage au chapitre 42 du *Livre de la Voie et de sa vertu* :

Le Tao d'origine engendre l'Un
L'Un engendre le Deux
Le Deux engendre le Trois
Le Trois engendre les Dix mille êtres
Les Dix mille êtres s'adossent au Yin
Et embrassent le Yang
Ils obtiennent l'harmonie par le Vide médian.

Ce passage s'interprète de la manière suivante : du Tao d'origine, conçu comme le Vide suprême, émane l'Un qu'est le Souffle primordial, lequel engendre à son tour les deux souffles complémentaires Yin et Yang ; ceux-ci, par leur incessante interaction, engendrent tous les êtres qui parviennent à faire naître entre eux l'harmonie grâce au troisième souffle qu'est le Vide médian. À travers cette interprétation, on le voit, ce qui est affirmé, c'est la vertu du Rien, du Vide, étant donné que le Vide est à la racine de la Voie, outre qu'il est la condition de l'harmonie dans la marche de la Voie. Prendre appui sur le Vide, c'est être dans le sens de la Voie, laquelle n'a de cesse d'effectuer ce mouvement qui va du Vide vers le Plein et retourne au Vide où le Souffle primordial se ressource. La bonne circulation de la Voie qui relie tous les vivants est à ce prix. Ceux qui sont habités par cette vision – les adeptes du Tao ou du chan (zen) – épousent donc intimement ce mouvement et éprouvent une vérité fondamentale : être, ce n'est pas simplement suivre l'écoulement d'une existence, c'est continuellement faire acte d'être, à partir du non-être. Dans l'idéal, ils expérimentent ainsi une sorte de « mort à soi », à un soi étroit et clos, et accèdent à une forme de vie plus libre, plus ouverte. À supposer qu'ils pratiquent la calligraphie ou le tai-ji, ils ne doutent pas que le souffle qui vient les animer, jailli de la page blanche par le trait, ou de l'air vierge par le geste, est identique à celui qui meut les astres depuis l'Origine.

Il serait faux de croire que cette grande intuition soit limitée à la civilisation chinoise ou orientale, et qu'il n'en existerait aucun écho ailleurs. On trouve une autre quête du Vide, par exemple, dans la tradition judéo-chrétienne. Certes, le contexte est différent, puisqu'on s'y réfère directement à Dieu. Néanmoins les deux traditions ont en commun l'idée de mourir à soi, de se vider afin d'être empli – ici de la présence de Dieu, là du Souffle primordial. Il y a bien en Occident un courant de pensée qui a pensé le Rien, le Vide, particulièrement manifeste dans la lignée inaugurée par Maître Eckhart et poursuivie par un Henri Suso, un Jean Tauler, un Angelus Silesius, un Jacob Boehme, ailleurs par un Jean de la Croix... Pour Maître Eckhart et ceux qui le suivront, le Vide, le Rien est la posture même de Dieu, en ce sens que Dieu se tient dans la position de non-être tout en faisant sans cesse l'acte d'être. Être, vraiment être, ce n'est jamais se situer comme un simple « étant » déjà donné, c'est toujours un élan vers un état d'être. Le Créateur se comporte ainsi, les créatures de même. Cette vision, loin d'être négative, est ce qu'il y a de plus dynamique, et elle est conforme à la révélation que Dieu fait à Moïse : « Je serai qui Je serai. » La vérité du Vide, du Rien, ne relève donc pas de la seule spéculation abstraite ; en réalité, tous les sages de toutes les traditions, par leur vie, témoignent de sa valeur efficiente.

***

Nous sommes à même maintenant de cerner plus concrètement les besoins vitaux ou désirs irrépressibles que la conscience de la mort fait naître en nous. Sans viser l'exhaustivité, nous en retiendrons trois principaux : désir de réalisation, désir de dépassement, désir de transcendance.

Désir de réalisation, tout d'abord.

L'idée que la vie a un terme, qu'elle ne saurait être différée, nous incite à « nous réaliser » : non plus à nous inscrire dans un *trajet de vie* que nous subirions comme notre condition inéluctable, mais à concevoir un *projet de vie.* Autrement dit à nous projeter dans la vie par une activité créative qui nous conduise à la perspective d'une réalisation. Nous n'ignorons pas cependant la triste réalité :

une grande partie de l'humanité est privée de la possibilité de choisir son activité, et accepte un travail à seule fin de « gagner sa vie », situation qui engendre toutes sortes de souffrances et d'injustices. Car l'homme est ainsi réduit à son utilité technique, ce qui est pour lui une mutilation. S'il a naturellement besoin de *faire*, ce n'est pas seulement au niveau d'une production matérielle et directement utile au plan social, c'est surtout dans la dimension de ce que les Grecs appelaient *poïen*, qui signifie « faire » au sens de la *poïesis*, la « création ». C'est par ce « faire » créatif, par le travail en vue d'une réalisation que l'homme donne un sens à sa vie, qu'il devient le « poète » de sa vie. Telle est sa vocation, ce à quoi il est appelé.

Dans le mot « sens », il faut entendre les trois acceptions qu'il possède en français : « sensation », « direction », « signification ». Contractées en un monosyllabe dense comme une pierre précieuse, ces trois acceptions cristallisent en quelque sorte les trois niveaux essentiels de notre existence au sein de l'univers vivant. Entre ciel et terre, l'homme, poussé par l'urgence de vivre, éprouve par tous ses *sens* le monde qui s'offre à lui. Attiré par ce qui se manifeste de plus exaltant, de plus éclatant – cette beauté du monde qui fera l'objet de notre prochaine méditation –, il avance dans une direction : c'est le début de sa prise de conscience de la Voie ; en celle-ci, toutes choses vivantes qui poussent irrésistiblement dans un *sens*, à l'image de l'arbre qui depuis ses racines s'élève vers le plein épanouissement de sa présence au monde, semblent traduire une intentionnalité, une orientation, un besoin de participation qui relie le microcosme au macrocosme. D'où le lancinant attrait de l'homme pour la signification qui est le *sens* de sa réalisation. En d'autres termes, l'homme réalise et se réalise pour se signifier ; se signifiant, il donne sens à sa vie, tant il est vrai qu'il ne peut jouir de la vie de façon plus totale que par une jouissance qui soit un joui-sens.

***

La conscience de la mort nous invite aussi à répondre à un autre besoin fondamental : celui du dépassement de nous-mêmes, qui est en lien avec le désir de réalisation, de façon plus exaltante ou plus radicale.

Selon que l'on « croit au Ciel » ou que l'on « n'y croit pas », la mort se présente à certains comme une limite infranchissable qui fixe la condition humaine, et à d'autres comme une possibilité de métamorphose. Dans les deux cas, elle taraude l'esprit humain, ne le laisse point en repos et fait naître en nous le besoin de dépassement. La mort invite à un effort pour sortir au moins de notre condition ordinaire, et cet effort a un nom : passion. Passion d'aventure, passion d'héroïsme, passion d'amour, ainsi que toutes sortes d'autres passions de moindre envergure. Celles que je viens de nommer sont les plus hautes, dans la mesure où toutes trois mettent en jeu la vie de celui qui s'y engage : l'épreuve de la mort y est un risque à courir, une preuve de la grandeur humaine.

Parlant d'«aventure», je n'ai pas en vue des personnes qui se lancent dans des trafics douteux. Je pense avant tout aux explorateurs, ces grands marins, ces grands aviateurs, ces alpinistes intrépides qui abordent des contrées inconnues en affrontant des conditions extrêmes, au risque de leur vie. Une figure proche de nous, infiniment admirable et attachante, me revient en mémoire, la grande alpiniste Chantal Mauduit. Elle avait à son palmarès six victoires sur les montagnes de plus de huit mille mètres d'altitude, parmi les plus difficiles de l'Himalaya. En 1996, de retour à Paris, après sa sixième victoire, elle relatait son expédition à la télévision en disant, entre autres, qu'au sommet, seule entre terre et ciel, elle avait récité – tout en se filmant elle-même – trois vers d'un poème d'André Velter dont elle avait fait sa profession de foi. Il se trouve qu'à ce moment précis le poète était, par hasard, devant son écran de télévision. On imagine l'émotion qui l'étreignit en voyant cet être extraordinaire qu'il ne connaissait pas réciter ses propres vers :

> *L'espace est un bandit d'honneur*
> *c'est à lui que tu penses*
> *quand tu suis le galop de ton cœur.*

Le lendemain, répondant à un message laissé par Chantal à la Maison de la radio, André alla à sa rencontre. Aussitôt, une passion lumineuse unit ces deux grands amoureux de la vie. Près de deux ans plus tard, en 1998, Chantal entendit à nouveau l'appel des cimes. Pour l'alpiniste, il n'y a point de hiatus entre son rapport charnel avec le corps de l'amant et celui qu'elle entretient avec les roches – ils sont d'un seul tenant. La voilà à mi-hauteur du septième mont qu'elle s'est promis de vaincre. La veille de l'assaut final, une avalanche se produit. Elle est ensevelie (avec son sherpa) dans la pureté originelle, comme tant de fois elle avait dû l'imaginer, sans le souhaiter mais sans le craindre. La vie fulgurante de Chantal

Mauduit nous dit la grandeur de la passion d'aventure.

Pour ce qui est de l'héroïsme, l'Histoire nous en fournit des exemples multiples. En Europe, nous avons évidemment en mémoire le sacrifice de tous ceux qui ont donné leur vie pour libérer le continent de l'effroyable emprise du nazisme. D'innombrables figures se pressent ici, des jeunes gens qui tombèrent par milliers sur les plages de Normandie ou dans les maquis du Vercors, jusqu'au père Maximilien Kolbe, ce franciscain polonais qui prit volontairement la place d'un père de famille pour subir une peine collective fatale dans le camp d'Auschwitz. En se battant les armes à la main ou par des gestes de solidarité extrêmes, ces héros ont affronté la mort au nom de la vie, au nom de la dignité humaine que voulaient anéantir les nazis. Mais c'est une autre scène que je voudrais évoquer ici, une scène dramatique qui hante l'imaginaire chinois.

Cela se passe dans les années trente : durant la Longue Marche, poursuivie par l'armée nationaliste, la troupe communiste, ou du moins ce qu'il en restait après de nombreuses défaites, arriva devant le pont de Luding, un pont de chaînes long et étroit qui enjambe de très haut la tumultueuse rivière Dadu. Le lieu, profondément encaissé dans la montagne, est un véritable piège. Le commandement nationaliste planifiait justement un encerclement afin d'infliger une défaite définitive aux communistes. Moins d'un siècle auparavant, sous le régime des Mandchous, une armée rebelle avait été anéantie à cet endroit même. Les soldats de l'Armée rouge se devaient de traverser le pont au plus vite sous peine de connaître le même sort. Or, en face, les attendaient les mitrailleuses et petits canons de l'ennemi. Zhu De, le chef, s'adressa à sa troupe : « Y a-t-il des volontaires pour traverser le pont les premiers ? » Immédiatement, une centaine de braves se proposèrent. Ceinturés de grenades, les voilà qui foncent à la queue leu leu sur les chaînes en direction de l'autre rive. Et au milieu du pont, dans le crépitement des balles et le grondement des eaux, les uns après les autres, ou par grappes entières, ils tombent, rayant l'air de leur chute verticale, avant de sombrer dans le courant rougi par leur sang. Enfin, on ne sait trop comment, quelques-uns parviennent à atteindre l'autre bord et à dégoupiller leurs grenades. Leur action a pour effet de diminuer l'intensité du feu adverse, et de permettre à leurs camarades de se lancer à leur tour à l'assaut. Nous pouvons songer aujourd'hui que sans l'action de ces volontaires, l'histoire de la Chine contemporaine se serait écrite autrement. Le régime mis en place ensuite par la même Armée rouge a engendré plusieurs périodes particulièrement meurtrières, il n'en reste pas moins que le sacrifice des soldats du pont de Luding, pour que soient sauvés du désastre la majorité de leurs camarades, garde toute sa grandeur. Et pour prendre l'exemple d'une autre grandeur dans l'ordre de la résistance non violente, n'oublions pas la figure héroïque de ce jeune homme de la place Tian'anmen, lors des événements de 1989, qui fit face tout seul à une colonne de chars.

La vie est évidemment en jeu dans les passions d'aventure et d'héroïsme, mais, me direz-vous, qu'en est-il de la passion d'amour qui, à première vue, ne semble impliquer aucune confrontation avec la mort ? Je rappellerai ici simplement que les différentes cultures n'ont pas attendu la psychanalyse pour nommer les deux passions fondamentales de l'humain, *Éros* et *Thanatos*, sans omettre de souligner les liens secrets qui les tiennent. Du côté de l'Occident, dès l'Antiquité, les Grecs, par leurs mythes et leurs tragédies, ont largement développé ce thème. Chez les Romains, un Ovide a saisi finement les conséquences que peut avoir la passion d'amour, lorsqu'il dit : « Alors je t'aime, alors je te hais, mais en vain, car je ne peux pas ne pas t'aimer, alors je voudrais être mort avec toi[1]. »

Ovide était contemporain de la Passion du Christ. Le christianisme, par la suite, a apporté des révélations décisives à notre compréhension du mystère de l'amour. Mon propos n'est pas de nous plonger dans toute la complexité de cette problématique, mais d'observer simplement le processus par lequel la conscience de la mort, au travers de l'expérience de l'Amour, au sens plénier du mot, nous fait découvrir les trois dimensions constitutives de notre être. Ce processus, de fait, nous le connaissons depuis toujours ; décrivons-le brièvement.

L'*Éros* a le pouvoir magique de rapprocher deux êtres épris l'un de l'autre. D'un amour partagé, ceux-ci recherchent l'assouvissement de leur désir charnel. S'ils s'en tiennent à la seule dimension de la chair, ils se trouveront à la longue dans l'impasse. En enchaînant des actes qui comportent chaque fois une excitation suivie d'une chute (l'acte charnel n'en est-il pas le meilleur signe, avec ce qu'on appelle la « petite mort » ?), ils s'enchaînent eux-mêmes dans un jeu fermé où l'autre est de plus en plus chosifié.

---

1. *Cf.* Xavier Darcos, *Ovide et la mort*, PUF, 2009.

L'assouvissement devient un asservissement épuisant qui aboutit au mieux à la lassitude, au pire à l'exacerbation haineuse, qui peut aller jusqu'au meurtre passionnel. Si, en revanche, les deux êtres liés par l'*Éros* élargissent leur horizon en faisant appel au meilleur d'eux-mêmes, ils découvriront, au terme d'un travail intérieur de dépassement, d'autres dimensions de leur être, remontant jusqu'à la part la plus intime, la plus originelle et irremplaçable de chacun, qu'on désigne par le terme « âme », à la source de tous les désirs.

Quand le corps à corps s'enrichit d'un « âme à âme », l'amour connaît un changement qualitatif, il inspire à chacun respect et gratitude pour l'autre. « Dans le véritable amour, écrit Stendhal, ce sont les âmes qui enveloppent les corps[1]. » Et Michel-Ange disait à l'être aimé dans un sonnet de sa composition : « Je dois aimer en toi ce que toi-même tu chéris, à savoir ton âme. » Ce que le christianisme aussi bien que le platonisme ont appelé l'*Agapè*, qui s'est manifesté entre autres sous la forme de l'amour courtois, tend là à remplacer la concupiscence, la volonté de jouir de l'autre, par une communion plus

---

1. Cité par Jean Mambrino, *L'Hespérie, pays du soir*, Arfuyen, 2000.

profonde, plus ouverte. L'âme en son état le plus élevé se soustrait alors à la contrainte du corps et à celle de l'espace-temps, en résonance avec l'âme de l'univers vivant.

Le couple *Éros-Agapè* possède en effet une dimension cosmique ou surnaturelle. En Chine, l'acte charnel est désigné par le terme «nuage-pluie». Ce terme a pour origine la légende de la relation sexuelle vécue par le roi Xiang de Chu avec la déesse du mont Wu. Depuis, l'acte charnel est ressenti comme en intime résonance avec la nature. Dans la peinture érotique, par exemple, au lieu de représenter une scène de bataille frénétique de la chair dans une chambre close, on préfère faire figurer dans la pièce où se déroule l'acte une fenêtre ouverte sur un extérieur où apparaissent des branches fleuries, des oiseaux pépiant, caressés par la brise printanière ou nimbés de clarté lunaire. Au cas où la pièce est montrée fermée, il y a au moins un paravent représentant un paysage. Cela me fait penser à la subtile phrase de Proust: «L'amour, c'est l'espace et le temps rendus sensibles au cœur.»

Dans toutes les cultures, l'*Éros-Agapè* relie l'humain au divin. L'extase qu'il procure est souvent identifiée à l'extase mystique – l'une des plus belles illustrations en est bien sûr le Cantique des cantiques. Toutefois, face au divin, mesurant le manque dû à sa condition mortelle, l'humain aspire à la transcender par un amour durable que la mort ne saurait interrompre. La mort, cette empêcheuse d'aimer en rond, devient alors le critère même qui permet de juger de l'authenticité d'un amour : il faut que l'amour soit « fort comme la mort », selon l'expression même du Cantique des cantiques, et qu'il soit capable de l'affronter et de la traverser pour être reçu comme authentique. Toutes les cultures, là aussi, ont leurs figures emblématiques de cette traversée, tels Tristan et Yseult. Les amants de l'amour durable connaissent leur finitude tout en étant sûrs qu'au-delà de leurs personnes, leur amour même ne finira pas. Cette appréhension saisissante du mystère de l'amour, le philosophe Gabriel Marcel l'a exprimée ainsi : « Aimer un être, c'est dire : "Toi, tu ne mourras pas." »

***

Troisième et dernier désir fondamental que la conscience de la mort nous invite à réaliser : notre tension vers la transcendance. J'en traiterai ici brièvement, pour y revenir dans la dernière méditation.

Je rejoins Chateaubriand lorsqu'il affirme que « c'est par la mort que la morale est entrée dans la vie ». Comme Simone Weil, je suis persuadé que sans l'épreuve des souffrances et de la mort, nous n'aurions eu l'idée de Dieu, ni même pensé à une quelconque transcendance. Précisons cependant que ce n'est pas la mort en elle-même qui agit directement sur nous, mais la conscience que nous en avons. La vérité est que la mort n'a aucun pouvoir en soi, elle n'est que la cessation d'un certain état de vie. Lorsque l'homme, porté par l'espérance, s'écrie comme saint Paul : « Mort, où est ta victoire, où est ton aiguillon ? », nous savons que ce cri-là ne peut être entendu que par les vivants ; la mort, elle, ne l'entendra jamais. Comme nous l'avons vu, la mort semble régner en maîtresse du monde, mais son pouvoir n'a pu lui être conféré en amont que par cet absolu qu'est la vie, qui, pour être vie, exige la mort corporelle. La vie ne nous appartient pas, c'est nous qui lui appartenons. Elle est transcendante pour la simple raison que tout en palpitant au plus intime de nous, elle est infiniment au-dessus et au-delà de nous. Nous ne pouvons que nous en remettre à elle en toute confiance. Et nous le pouvons parce que l'expérience nous montre que le Souffle qui a fait advenir la Vie n'a jamais trahi, et qu'il ne trahira pas. Par ailleurs, notre véritable lien avec les autres – lien d'amitié ou d'amour fondé lui aussi sur une confiance sans faille – n'est possible que dans la lumière de cette transcendance.

En Chine, depuis l'Antiquité, résonne une brève phrase que les Chinois se transmettent de génération en génération, phrase qui tire son origine du *Livre des Mutations*, le *Yi Jing*, premier ouvrage de la pensée chinoise, rédigé mille ans avant notre ère, auquel se réfèrent aussi bien le taoïsme que le confucianisme. Cette formule se compose de quatre caractères, percutants comme des coups de cymbales : *Sheng-sheng-bu-xi*[1], ce qui signifie : « La vie engendre la vie, il n'y aura pas de fin. » C'est cette maxime qui a permis au peuple de survivre à tous les conflits meurtriers et à toutes les catastrophes.

L'homme, petit être perdu au sein de l'univers, a bien du mérite. En dépit de tout, il a tenu et continue de tenir le flambeau de la vie. Entrant dans la vie, il doit assumer les épreuves provenant de tous les niveaux du monde environnant et de son être propre : biologique

1. Expression calligraphiée par l'auteur en couverture de cet ouvrage.

et psychique, éthique et spirituel. Dans ces épreuves, la suprême étant la mort, il connaît douleurs et souffrances. Il y a là une indéniable grandeur. Par-delà les épreuves, toutefois, des joies lui sont accordées, charnelles comme spirituelles, couronnées par un grand mystère, celui de l'amour. Sans l'amour, aucune jouissance ne prend son sens plénier ; avec l'amour, qui engage tout l'être, tout est pris en charge, le corps, l'esprit et l'âme.

À propos de ce triptyque corps-âme-esprit, je voudrais ici apporter quelque précision, car la confusion règne souvent sur le statut respectif des deux derniers termes. Ils sont souvent pris l'un pour l'autre de nos jours, et c'est la plupart du temps au détriment du caractère spécifique de l'âme, au point que l'existence même de celle-ci est fréquemment remise en question. En dépit de la présence encore vivace du vocable dans la langue (« en mon âme et conscience », « avoir l'âme chevillée au corps », un « supplément d'âme », l'« âme sœur », etc.), beaucoup se contentent de la paire corps-esprit pour désigner les composantes de base de l'être humain.

Pourtant, en Occident comme dans bien d'autres cultures, une tradition presque immémoriale a décelé en chaque être humain quelque chose que l'esprit seul ne recouvre pas, quelque chose d'intime, de secret, qui lui est propre ; qui comporte son étonnante capacité à ressentir, à s'émouvoir, mais également sa part inconsciente, jamais tout à fait élucidée ; qui, enfoui au plus profond de son être, indivisible, constitue la marque même de son unicité. Cette idée, présente depuis toujours dans la tradition occidentale, mais qui se perd aujourd'hui, exprime un effort instinctif pour dépasser le dualisme instauré par le couple corps-esprit en introduisant ce troisième élément qui permet à l'homme de communier sans entrave avec l'âme de l'univers.

À cet effort, la pensée chinoise accorderait volontiers son assentiment, ayant toujours préféré la démarche ternaire pour expliciter la constitution et le fonctionnement de la vie humaine. On se rappelle que le taoïsme, basé sur l'idée du Souffle, met en avant l'interaction entre le Yin, le Yang et le Vide médian, tandis que le confucianisme se fonde sur la relation interdépendante du Ciel, de la Terre et de l'Homme. Aussi, d'après la tradition chinoise, tout être humain est constitué de trois composantes : le *jing*, le « sperme », le *qi*, le « souffle », et le *shen*, le « divin ». Sans qu'il y ait une exacte équivalence terme à terme, on peut en gros rapprocher le *jing* du corps, le *qi* de l'esprit et le *shen* de l'âme.

Entre âme et esprit s'établit un rapport complémentaire ou dialectique. Si l'âme est intimement personnelle, l'esprit, lui, a un aspect plus général, plus collectif; c'est lui qui permet le langage et le raisonnement. Le rôle de l'esprit est central: il contribue à former l'individu et à le situer au cœur du réseau social. L'âme participe de l'essence de chaque être, elle est là, entière, dès avant sa naissance, et elle l'accompagne, toujours entière, jusqu'à son état ultime, même si l'esprit s'altère ou défaille. C'est elle qui, absorbant patiemment tous les dons et les épreuves du corps et de l'esprit, est l'authentique fruit conservant intact ce qui fait l'unicité de chacun.

Sur le plan concret, l'esprit fait appel au cerveau, l'âme opère à partir du cœur. L'esprit s'appréhende par l'intellect, l'âme se saisit par l'intuition. C'est ainsi que j'ai pu écrire un jour que «l'esprit se meut, l'âme s'émeut; l'esprit raisonne, l'âme résonne[1]». C'est ainsi que nous pouvons aussi constater dans la vie collective une sorte de division du travail assurée par les deux: sont régis par l'esprit le langage,

---

1. Voir l'article «Âme», *in* revue *Europe*, n° 1000, 2012.

les réflexions philosophiques, les recherches scientifiques et toutes les organisations sociales (politiques, économiques, juridiques, éducatives, sanitaires, etc.); l'âme, elle, a le dernier mot pour tout ce qui touche à l'affectivité, aux créations artistiques, à la dimension mystique du destin humain dans sa relation ouverte avec un au-delà ou une transcendance et qui se manifeste par la résonance. Sur elle se concentre toute l'aspiration humaine à l'amour absolu, dans ce qu'il peut avoir de divin.

À la lumière de cette vision ternaire de l'homme, nous pouvons entendre d'une autre façon, non dogmatique et vraiment universelle, les propos de Pascal sur les trois ordres. Acceptons de lui prêter l'oreille, même si certains peuvent se sentir gênés par le mot «charité» qu'il emploie pour désigner l'amour divin. Pour lui, bien loin des connotations péjoratives et cléricales que le mot a pu porter, cet amour est une passion pénétrée de compassion sans limites. Une telle passion ne peut résulter d'un simple instinct ou d'un simple raisonnement, elle est d'un autre ordre. Retenons donc au moins la nécessité de distinguer les ordres, car seule cette distinction nous permet de saisir le possible devenir de l'immense aventure évoquée plus haut.

Écoutons-le : « Tous les corps, le firmament, les étoiles, la terre et ses royaumes ne valent pas le moindre des esprits ; car il connaît tout cela, et soi, et les corps rien. Tous les corps ensemble, et tous les esprits ensemble, et toutes leurs productions ne valent pas le moindre mouvement de charité. Cela est d'un ordre infiniment plus élevé. De tous les corps ensemble, on ne saurait en faire réussir une petite pensée : cela est impossible, et d'un autre ordre. De tous les corps et les esprits, on n'en saurait tirer un mouvement de vraie charité, cela est impossible, et d'un autre ordre, surnaturel. »

Signalons que l'idée d'un univers vivant composé de plusieurs ordres n'est nullement absente de la pensée chinoise. Lao-zi, au chapitre 25 du *Livre de la Voie et de sa vertu*, affirme : « L'Homme procède de la Terre, la Terre du Ciel, le Ciel du Tao, et le Tao de lui-même. » Les confucéens épousent aussi cette vision.

TROISIÈME MÉDITATION

Chers amis, la démarche que j'ai suivie justifie l'intitulé de ces méditations sur la mort, *autrement dit sur la vie.* Car penser la mort, c'est penser la vie. La conscience de la mort, faisant naître en nous l'idée du sacré de la vie, confère à celle-ci toute sa valeur. À partir de cette conscience qui ne le lâche pas, l'homme entre dans son devenir ouvrant sur une série d'actes et de transformations qualitatives et ascendantes. Dans cette nouvelle perspective, la vie humaine, à la venue au monde de chaque enfant, se révèle une aventure chargée de promesses et d'inconnu.

Je parle de la conscience de la mort et non de la mort effective. Vous l'aurez compris, je ne fais donc absolument pas l'apologie de la mort. Il s'agit au contraire d'assumer plus lucidement la vie, de vivre plus pleinement.

Sur les chemins de l'existence, nous nous heurtons à deux mystères fondamentaux, celui de la beauté et celui du mal. La beauté est mystère parce que l'univers n'était pas obligé d'être beau. Or il se trouve qu'il l'est, et cela semble trahir un désir, un appel, une intentionnalité cachée qui ne peut laisser personne indifférent. Le mal est mystère également. Si le mal se présentait à nous sous la seule forme de quelques défauts ou ratages, dus à la difficile marche de la vie, nous l'aurions plus ou moins accepté. Mais, chez les hommes, il atteint un degré si radical qu'il frise l'absolu : quand l'ingéniosité humaine est au service du mal, sa cruauté ne connaît pas de limite. Et, la technologie aidant, nous savons maintenant que l'œuvre du mal entreprise par l'homme peut détruire l'ordre de la vie même. Ces deux mystères, qui interfèrent avec notre conscience de la mort, se dressent devant nous comme des défis incontournables que nous avons à relever. Nous allons les dévisager l'un après l'autre. D'abord la beauté.

L'univers n'était pas obligé d'être beau, ai-je affirmé. On pourrait imaginer un univers uniquement fonctionnel, un système neutre qui se serait développé sans qu'aucune beauté soit venue l'effleurer. Un tel univers se contenterait de tourner à vide, de mettre en branle un ensemble d'éléments neutres, indifférenciés, se mouvant indéfiniment. On aurait affaire là à un monde de robots, à une sorte d'énorme machine ou à un monde concentrationnaire, mais en tout état de cause, on ne serait plus dans l'ordre de la vie. Pour qu'il y ait vie, il faut qu'il y ait différenciation des éléments cellulaires, complexification, et conséquemment formation de chaque être en sa singularité. La loi de la vie implique que chaque être constitue une unité organique et possède en même temps la capacité de croître et de transmettre. C'est ainsi que la gigantesque aventure de la vie a abouti à chaque brin d'herbe, à chaque insecte, à chacun d'entre nous. Tout être, de par son unicité, tend vers la plénitude de sa présence au monde, à l'instar d'une fleur ou d'un arbre. Tels sont le commencement et la définition même de la beauté.

À moins d'être de mauvaise foi, il faut bien admettre que l'univers vivant est beau. Même si nous ne savons comment l'interpréter, cela est un fait : le monde est beau et sa beauté habite le moindre de ses recoins, un ruisseau chantonnant parmi les iris, un oranger au milieu d'une cour, comme elle apparaît dans de grandes entités tels les glaciers, les déserts, la montagne, la mer, la prairie ondulant sous la brise, le ciel frémissant d'étoiles... Et puis il y a tout ce qui relève de l'intervalle, de l'interstice, de l'entre-croisement, de la rencontre : une libellule qui s'attarde sur un roseau tremblant, un lézard qui sillonne un rocher couvert de lichen, un rayon du couchant révélant un pan de mur suranné, et chez les humains, parfois, un échange de regards plus fulgurant que la foudre... Aussi fascinante qu'intrigante, cette beauté semble nous faire signe pour nous dire que l'univers est désirable et signifiant. Grâce à elle, la nature s'impose à nous non en figure anonyme, mais comme une présence. Du coup, chacun de nous, tendant vers la beauté, voit son unicité transformée également en présence.

Ce qui nous frappe d'emblée, c'est la beauté de la nature et du cosmos, et au sein de la nature, celle des êtres vivants. Mais dans le règne spécifiquement humain, on a la perception d'autres types de beauté. D'emblée, la beauté physique des humains possède quelque chose de plus : elle est animée par la conscience de la beauté, ou plus, par l'élan vers la beauté. C'est dire que, jusqu'à un certain degré, elle est déjà travaillée par l'esprit. Au-delà de cette beauté physique, à un degré supérieur, réside celle du cœur et de l'âme. Beauté spirituelle, tout intérieure, qui n'est plus définie par des traits extérieurs, mais transparaît à travers le regard et les gestes.

Un regard ardent, transparent, aimant et aiman-
tant, un geste de sympathie, de générosité,
de tendresse, de consolation, de sacrifice, en
un mot de don, tout cela relève de cet ordre
supérieur de la beauté du cœur et de l'âme qui
a pour source la Donation primordiale et pour
expression l'amitié et l'amour. Quand ceux-ci,
désintéressés, se haussent jusqu'à l'universel,
ils constituent la plus haute réalisation humaine.
Car la Donation rappelle l'avènement de la Vie
même, elle rejoint le beau geste originel qui est
d'inspiration divine.

C'est pour cet ensemble de beautés que nous
nous attachons au monde et à la vie. Ce sont
elles qui nous persuadent, souvent à notre insu,
que la vie vaut la peine d'être vécue. Seulement
voilà : vis-à-vis de la beauté, une certaine pré-
vention nous raidit. Nous ne pouvons nous fier
à elle sans éprouver de réticence. Nous crai-
gnons d'être victimes des illusions. Que de fois
la beauté nous paraît trompeuse ! Et nous voyons
qu'aux mains des personnes malintentionnées,
elle peut devenir un instrument de domination,
voire de destruction. C'est que l'homme doué
d'intelligence et de liberté est capable de tout
pervertir, y compris d'instrumentaliser la beauté
en s'appuyant sur son pouvoir de séduction.
Pour qui se propose de se pencher sur la beauté,

il importe donc avant tout de distinguer l'essence de celle-ci et l'usage qu'on peut en faire.

Car ces détournements ne doivent certes pas nous empêcher d'admirer la beauté qui en son essence est bonne, mais ils nous suggèrent de réaffirmer sans cesse qu'il ne peut y avoir d'esthétique sans éthique. Aussi, dans beaucoup de langues (sanskrit, chinois, etc.), beauté et bonté ont-elles des racines communes. Dans nos *Cinq méditations sur la beauté*, nous nous sommes attardés assez longuement sur les liens entre ces deux qualités qui habitent l'âme humaine. Rappelons-nous ce que disait Bergson : « Le degré suprême de la beauté est la grâce, mais par le mot grâce, on entend aussi la bonté. Car la bonté suprême, c'est cette générosité d'un principe de vie qui se donne indéfiniment. C'est là le sens même de la grâce. » À cette magistrale formule du philosophe, j'ai proposé l'écho suivant : « La bonté est garante de la qualité de la beauté ; la beauté, elle, irradie la bonté et la rend désirable. »

Pourquoi la beauté a-t-elle à voir avec la mort ? D'abord parce que, à l'instar de toute chose, elle ne peut durer, elle nous échappe. Et comme c'est à elle que l'on s'attache plus qu'à tout dans la vie, plus l'attachement est profond, plus poignant est l'arrachement. Attachement-arrachement, voilà la condition de la beauté : elle aiguise notre conscience de la mort. D'autant que son mode d'être n'est pas statique, elle se manifeste chaque fois dans son apparaître sur la crête de l'instant. Et puis surtout il y a le fait que, lorsqu'elle est sublime, elle inspire une crainte sacrée, ou une passion trop ardente pour que la capacité humaine puisse tout à fait l'assumer. Comme le soleil, on ne peut trop la dévisager sans risquer de perdre la vue ou la vie. Ceux qui connaissent les hauts plateaux de l'Himalaya, à quatre mille mètres, comprennent le besoin impérieux de leurs habitants de se prosterner devant les monts éclatant de blancheur éter-nelle qui s'élèvent à plus de huit mille mètres d'altitude. Ceux qui connaissent la vaste nuit au désert comprennent les nomades qui s'age-nouillent et prient, éblouis par les flammes aveuglantes des étoiles. Dante, quand il vit pour la première fois Béatrice, à neuf ans, sentit l'esprit de la vie se mettre à palpiter si fort en lui qu'il faillit faire éclater ses veines. Quand, neuf ans après, un jour à trois heures de l'après-midi, il la revit et qu'il entendit pour la première fois sa voix le saluer, il crut toucher les bornes extrêmes de la béatitude. Et il sut que le reste ne pouvait s'accomplir qu'au-delà de cette vie.

Compte tenu de ce que nous venons de constater, celui qui se propose d'affronter la beauté pour en faire une œuvre, à savoir l'artiste, affronte en même temps le défi de la mort. Cela est d'autant plus vrai que la création artistique est justement une des formes par lesquelles l'homme tente de vaincre son destin mortel. Toute œuvre digne de ce nom, un poème, une musique, une peinture, une sculpture, tente de transmuer la solitude en ouverture, la souffrance en communion, les cris d'appel en chant, chant qui résonne par-delà les abîmes creusés par la séparation et la mort.

L'authentique création artistique, en Occident comme ailleurs, passe par la voie orphique, celle qui porte l'empreinte d'Eurydice disparue, celle par laquelle Orphée tente de la rejoindre désormais au moyen d'un autre type d'incantation. Pour ne prendre qu'un seul exemple en Occident, rappelons celui de Victor Hugo s'adressant à sa fille Léopoldine disparue quatre ans plus tôt :

> *Demain, dès l'aube, à l'heure où blanchit la campagne,*
> *Je partirai. Vois-tu, je sais que tu m'attends.*
> *J'irai par la forêt, j'irai par la montagne,*
> *Je ne puis demeurer loin de toi plus longtemps...*

Paroles d'inspiration orphique, de retour vers la disparue, qui nous sont devenues si intimes à nous tous. Le même poète dira plus tard, prononçant un discours sur la tombe de la fiancée de son fils : « Le prodige de ce grand départ céleste qu'on appelle la mort, c'est que ceux qui partent ne s'éloignent point. Ils sont dans un monde de clarté, mais ils assistent, témoins attendris, à notre monde de ténèbres. Ils sont en haut et tout près. Oh ! qui que vous soyez, qui avez vu s'évanouir dans la tombe un être cher, ne vous croyez pas quittés par lui. Il est toujours là. Il est à côté de vous plus que jamais. La beauté de la mort, c'est la présence. Présence inexprimable des âmes aimées, souriant à nos yeux en larmes. L'être pleuré est disparu, non parti. Nous n'apercevons plus son doux visage ; nous nous sentons sous ses ailes. Les morts sont les invisibles, mais ils ne sont pas les absents... »

En Chine, l'équivalent de la tradition inaugurée par Orphée fut incarnée d'abord par Qu Yuan, au IV⁰ siècle avant notre ère, et plus tard par tous les artistes acquis à l'esprit du chan, selon lequel l'être passe par le non-être, le voir par le non-voir, le dire par le non-dire. Pour illustrer la voix/voie du chan, voici deux quatrains de Wang Wei, poète du VIII⁰ siècle :

Cinq méditations sur la mort

Au bout des branches, les fleurs de magnolia
Au cœur du mont offrent leurs rouges calices
(Le logis près des cascades est silencieux, sans
personne.)
Les unes éclosent pendant que les autres choient.

Dans ce poème, le troisième vers vient entre parenthèses pour nous indiquer qu'il n'y a pas âme qui vive dans ce paysage, alors qu'en réalité le poète est bien là puisqu'il est témoin de toute la scène. Mais à force de dépouillement, il est dans un état de non-être, et c'est seulement dans cet état qu'il est à même d'intégrer la grande loi de la transformation, où toute mort se mue en renaissance.

Montagne vide. Plus personne n'est en vue ;
Seules des voix se font encore entendre.
Les rayons retournés pénètrent le bois profond ;
De nouveau ils illuminent la mousse verte.

Au cours de sa randonnée en montagne, dit ce second quatrain, le poète entre en état de vacuité, comme la montagne qui se vide vers le soir. Au troisième vers, les « rayons retournés » désignent les rais du couchant qui se retournent pour éclairer la terre, et signifient, au sens spiri-tuel, le retournement de l'homme. Il suffit que le poète se retourne (comme Orphée ?) pour voir autre chose que la simple tombée du jour, pour voir que la lumière ne disparaît pas : elle illumine ce qui est caché en profondeur – la « mousse verte » figurant la présence du lieu originel.

L'artiste se doit donc de se situer, plus que d'autres, au cœur du Double-royaume. Il y capte l'instant où l'aurore brise les ténèbres de la nuit, sans négliger celui où le dernier rayon du couchant s'efface derrière les montagnes. Il exalte la nature en pleine floraison, sans ignorer l'hiver toujours présent dans les branches, qui gardent en mémoire le temps où elles étaient transies, dépouillées de leurs feuilles. Il célèbre le fait de vivre ici et maintenant, tout en re-suscitant ce qui semblait perdu. Ce faisant, le créateur se met dans la posture du Créateur qui, rappelons-le, à partir du Rien a fait advenir le Tout. Ainsi, la voie artistique, en sa plus haute dimension, relie l'humain au divin.

N'oublions pas cependant tous ces artistes et poètes qui n'ont pas voulu suivre les canons de l'harmonie, et ont cherché la beauté ailleurs que dans l'équilibre formel. Il y a souvent de la grandeur dans leur quête qui passe par la dissonance, l'asymétrie, voire le grotesque. Au-delà même des questions de forme, certains se sont penchés avec justesse sur la part de chaos et même de déchéance qu'il peut y avoir au cœur de nos existences. Ceux-là, qui ont tenté de dévisager la décomposition et la mort, ont eu le mérite des pionniers, même si la modernité de leur démarche a plus tard été dévoyée en nihilisme complaisant. Prenons le poème «Une charogne» de Baudelaire. Il dépeint le cadavre putride d'une bête en pleine décomposition sous le soleil, livré, telle une «femme lubrique», à l'appétit de noirs bataillons de larves. Puis le poète songe avec épouvante que la femme objet de son adoration sera un jour réduite à cet état. Il a pour seule consolation que de sa beauté présente il aura gardé, tout de même, «la forme et l'essence divine». Ce poème peut nous inspirer deux sentiments apparemment contradictoires, en réalité complémentaires. D'un côté, on peut se lamenter sur la fragilité voire la vanité de la beauté, et y trouver confirmation que la beauté physique ne suffit pas. De l'autre, on peut aussi être saisi par l'incroyable fait que pourtant la beauté existe, qu'en dépit d'une condition aussi précaire, vouée à la dégradation, ce miracle continue de s'incarner. On pense alors à Zhuang-zi, qui affirme dans le dernier chapitre de son livre qu'«entre ciel et terre il y a grande beauté», et célèbre «le pouvoir magique de la nature qui ne cesse de transmuer le pourri en merveille».

Troisième méditation

Au cours de sa création qui est une lutte à corps perdu, ou un combat avec l'ange, l'artiste fait le même type d'expérience que connaît la passion d'amour, en plus âpre sans doute puisqu'il a à dompter une forme. Que celle-ci soit harmonieuse à la Vermeer ou convulsive à la Francis Bacon, l'art exige qu'elle atteigne une exacte intensité animée par le souffle rythmique. Pour cela, l'artiste est amené à solliciter pleinement les trois composantes de son être : le corps, l'esprit, l'âme.

J'ai explicité ma compréhension de ces trois composantes lors de la précédente méditation. Je me permets d'en reprendre le développement afin de l'appliquer au domaine spécifique de la création artistique. Le corps est à la base de tout, et la création artistique commence par le contact charnel avec le monde. Plus qu'un contact, c'est d'une véritable interaction qu'il s'agit, entre le monde intérieur de l'artiste et tout ce que le monde extérieur peut lui offrir de substances et d'inspirations. Dans cette interaction, l'esprit est déjà au travail, car il y a là un « faire » éminemment conscient impliquant la maîtrise technique, ainsi que la compréhension pertinente des thèmes à traiter. Mais en dernier ressort, c'est une vision intime, profonde, toute personnelle que l'artiste doit s'efforcer d'atteindre. C'est là qu'intervient l'âme. Celle-ci, nous l'avons vu, est la part la plus secrète de chaque être; depuis sa naissance, ou même avant, elle entretient en lui une lueur qui cherche à briller, une berceuse qui aimerait se faire entendre. Jacques de Bourbon-Busset avait raison de la définir comme la «basse continue de chaque être». Toute œuvre d'art, en son état le plus élevé, est résonance d'âme à âme avec les autres êtres et avec l'Être. C'est la manière pour chaque créateur de dépasser l'espace-temps, de transcender la séparation et la mort. Il vise non la communication, mais la communion.

À mesure qu'on avance en âge, l'âme intériorise davantage tout ce que le corps porte de désirs et d'expérience. Je l'ai dit, le fruit de l'âme absorbe douleurs et joies, larmes et sang. L'artiste ne fait pas exception. Plus il approche de la fin, plus sa création se dépouille et se libère. Songeons à l'ultime pietà de Michel-Ange, aux ultimes portraits du Titien et de Rembrandt, aux ultimes visions d'un Fan Kuan, d'un Cézanne. À la *Divine Comédie* de Dante, au *Phèdre* de Racine, aux derniers poèmes de Du Fu, de Wang Wei, de Rûmî, de Tagore. Aux dernières cantates de Bach, aux derniers quatuors de Beethoven et dernières sonates de Schubert, aux requiems de Mozart et de Fauré... Je n'oublie pas non plus les quatre derniers lieder de Richard Strauss, cris de nostalgie aussi glorieux que la gloire elle-même du couchant. Chacun de nous sait d'ailleurs la musique qu'il aimerait entendre au moment de mourir.

Tendons l'oreille : combinant vide et plein, alternant retrait et élan, un chant ininterrompu sourd de la terre, rejoint la grande rythmique du courant éternel qui meut les astres. Le rythme diffère de la cadence qui est une répétition du même, il est l'interaction des souffles vitaux dans toute sa complexité : avancée et reprise, reprise et nouvelle avancée, entrechoquement syncopé, entrecroisement harmonieux, mouvement en spirale changeant de registre et de dimension, entraînant transformation et transfiguration où la mort a pour effet, pour reprendre l'expression de Claudel dans le *Le Soulier de satin*, la « délivrance des âmes captives ».

***

Malheureusement, quelque chose en l'être empêche la musique. À cette faille essentielle les hommes ont donné un nom : le mal.

À propos de la beauté, nous avons vu que l'homme, doué d'intelligence et de liberté, est capable de tout pervertir. Combien cela se vérifie avec la mort, qui se prête évidemment à la perversion. Mû par des instincts mal domptés, instinct bestial, instinct de destruction, instinct sexuel, mû par la haine ou la jalousie, par la folie de la possession ou de la domination, l'homme n'hésite pas à faire de la mort l'instrument radical au service du mal. Celui qui détient le pouvoir de vie et de mort sur autrui, quand il l'exerce, n'ôte pas seulement la vie à ses victimes, il peut, avant de les supprimer, au moyen de la menace ou de la torture, les humilier et les avilir au point de leur enlever toute substance humaine. Il tue alors jusqu'à leur âme. Il crée un véritable néant que l'univers vivant, dans sa progression, n'avait sans doute pas prévu. Il crée comme un trou noir dans le royaume du vivant.

Dans l'ordre de la vie, l'homme, cet être capable du plus haut, c'est-à-dire de l'amour désintéressé, de l'amour universel, aurait presque pu interrompre la chaîne terrible qui consiste à tuer pour survivre. Mais dans la réalité de son histoire, il se révèle l'animal le plus inquiétant, pour ne pas dire le plus terrifiant. À l'inverse, les animaux domestiqués par lui selon quelques bons principes, tels que le cheval, le chien, le chameau, le mulet, l'âne ou le lapin, conservent des vertus que beaucoup d'hommes ont abandonnées : la noblesse, la fidélité, la patience, la douceur, l'innocence. Toute l'ingéniosité humaine qui fait notre admiration – et c'est là un des arguments souvent utilisés pour démontrer la supériorité du genre humain –, toute cette technologie qui a connu un développement exponentiel à l'époque moderne, a aussi connu les pires déviations au fur et à mesure qu'elle se perfectionnait : elle a permis d'affiner davantage les méthodes de torture, de rendre plus efficace l'extermination massive, de créer des univers concentrationnaires. Au XXe siècle, on a vu se déployer toute la panoplie des manières de tuer inventées par les hommes, des plus primitives aux plus sophistiquées, cela au niveau individuel comme au niveau collectif. Qui d'entre nous arrive à imaginer et éprouver tout ce qu'ont subi jusqu'à leur expiration ce jeune homme aux mains du « gang des Barbares », comme eux-mêmes s'appelaient, ou cette femme sous l'emprise de sadiques, durant d'interminables jours et nuits, dans une cave immonde ? Et quand la haine s'empare de la masse, la jetant dans le carnage, aucune barrière n'est en mesure d'endiguer leur furie et leur mépris. Lors de certains massacres, par souci d'économie et pour aller plus vite, on a vu les bourreaux obliger leurs victimes à creuser de larges fossés, avant de les y précipiter à coups de crosse ou de baïonnette, pour ensuite les enterrer vives. Dans d'autres cas, on a vu les victimes supplier qu'on les tue par balle au lieu d'être tailladées à la machette, et l'on a entendu leurs bourreaux vociférer : « Des balles pour une engeance de votre espèce ? Voyons ! » Lors d'une autre purification ethnique, cette fois-ci toute proche de nous, on a vu des enfants assassinés devant leurs mères avant que celles-ci ne soient exécutées, on a vu des femmes violées devant leurs maris avant que ceux-ci ne soient achevés. Terrible, terrible XXe siècle qui a effacé de son fronton la loi suprême du respect de la vie !

« Tu ne tueras pas » est un commandement implicite valable dans toutes les cultures. Encore gagne-t-il à être formulé à haute voix. C'est le cas de la tradition hébraïque où ce commandement est un ordre sacré venu d'En-Haut. Toute société humaine est fondée sur quelques interdits fondamentaux, le premier étant l'interdit de l'inceste, mais « Tu ne tueras pas » est le plus fondamental. Aussi, moins de trente ans après la monstrueuse tuerie de la Seconde Guerre mondiale, lorsque j'ai entendu retentir parmi nous le désinvolte «Il est interdit d'interdire!», j'ai pris peur. Bien sûr, il faut lutter contre tous les interdits oppressifs et injustes. De là à faire table rase de toute limite, il y a une marge, celle-là même qui sépare la civilisation de la barbarie. Car c'est la loi de la vie qui libère, et non le n'importe quoi. Confondre la vraie liberté, garante de la dignité humaine, avec un laisser-aller qui serait régi par le seul principe de plaisir relève d'une méprise mortifère. Ce qui m'a fait le plus peur à l'époque, c'est que je n'entendais nulle part les grands intellectuels s'élever pour dénoncer cette ineptie. À lire attentivement plusieurs «maîtres à penser» dont on admirait la superbe intelligence, on s'aperçoit que leurs pensées aboutissaient à la même conclusion: «Tout est permis.» Comment ne pas penser alors à Dostoïevski qui, à la fin du XIXᵉ siècle, effrayé par le nihilisme naissant, avertissait: «Si Dieu n'est pas, tout est permis.»

À la fin du XXᵉ siècle, on annonçait non seulement la mort de Dieu, mais aussi celle de l'homme. Pour celui qui faisait cette annonce, était-ce un simple constat ou un nouvel avertissement? Dans le second cas, on était en droit d'attendre de lui un effort pour introduire de nouvelles valeurs dans le domaine éthique. Cet apport fit défaut. La vérité est que, lorsque est bannie toute notion de sacré, il est impossible à l'homme d'établir une vraie hiérarchie des valeurs. On peut tenter alors d'imposer de l'extérieur quelques règles, mais c'est en vain : l'âme ne les épouse pas foncièrement, car elles ne proviennent pas d'une vraie source de vie, ni ne sont alimentées par elle.

Une telle volonté de dissoudre toute notion de limite procédait d'une volonté de désacralisation généralisée. C'était, je crois, une grave erreur, car un monde sans sacré est un monde de chaos. C'est pourquoi il convient de réaffirmer le sacré fondamental, celui de la vie. Et, du même coup, il convient d'affirmer qu'est sacrée aussi la mort de chacun – la mort entendue, une fois encore, comme le fruit inaliénable de chaque destin. Nous avons failli oublier ce que les spécialistes de la préhistoire nous ont enseigné, à savoir que l'attention portée au devenir de chaque mort caractérise les débuts de l'hominisation. Nous avons failli n'admirer Antigone que pour son acte courageux contre la raison d'État, en oubliant que si elle consent au sacrifice, c'est pour proclamer qu'une sépulture décente pour chacun procède d'une loi divine. Elle rappelle à Créon et à nous tous que le soin au corps mort relève d'une transcendance qui s'impose à toutes les lois humaines.

Troisième méditation

Tous les crimes violent la chair de leurs victimes et les privent de leur propre mort. Les crimes de masse aggravent cet effet de dépossession de la mort qui équivaut à une déshumanisation. L'histoire de l'humanité n'est pas avare de ces événements tragiques, mais ceux du XXᵉ siècle ont franchi plusieurs degrés dans l'horreur, à cause de la perversion de la technologie évoquée plus haut. Dans le cas du génocide perpétré par les nazis, le crime a été poussé à des stades indépassables. Les nazis ont procédé avec une rationalité glaciale à l'industrialisation de la mort, faisant perdre à celle-ci tout sens : la mort n'a plus rien d'humain lorsqu'elle est le fait d'une usine qui produit des milliers de cadavres par jour, tous les jours pendant des mois et des années, dans une terreur sans échappatoire. La mort, dont j'ai dit qu'elle est un de nos biens les plus précieux, cette mort-là est morte à Auschwitz. Lorsque des millions de corps d'hommes, de femmes, d'enfants sont réduits en cendres, ou pire, utilisés comme matière première (cheveux des femmes, dents en or, graisse humaine transformée en savon...), oui, on peut dire que la mort a été tuée. En outre, le crime des nazis ne se contentait pas d'organiser la disparition d'un peuple, il visait à mettre tout en œuvre pour que cette disparition disparaisse elle-même, de sorte que personne, plus jamais, ne puisse à l'avenir se souvenir des vies anéanties, comme si celles-ci n'avaient jamais existé : leur mort comme leur vie devaient se perdre définitivement dans la Nuit et le Brouillard.

L'effondrement du régime hitlérien n'a pu effacer à temps tous les monceaux de corps décharnés, tous les tas de squelettes anonymes. Si nous cherchions à les oublier, au prétexte que leur image, trop insupportable, nous empêcherait de vivre joyeusement, alors nous deviendrions complices des criminels. Heureusement, nous sommes tout de même nombreux encore à voir derrière chaque corps décharné une âme, une âme comme celle du poète Benjamin Fondane par exemple, mort en 1944 à Auschwitz :

> *C'est à vous que je parle, hommes des antipodes,*
> *je parle d'homme à homme,*
> *avec le peu en moi qui demeure de l'homme,*
> *avec le peu de voix qui me reste au gosier,*
> *mon sang est sur les routes, puisse-t-il, puisse-t-il*
> *ne pas crier vengeance !*
> *(...)*
> *Un jour viendra, c'est sûr, de la soif apaisée,*
> *nous serons au-delà du souvenir, la mort*

aura parachevé les travaux de la haine,
je serai un bouquet d'orties sous vos pieds,
– alors, eh bien, sachez que j'avais un visage
comme vous. Une bouche qui priait, comme vous.
(...)
Et pourtant, non !
je n'étais pas un homme comme vous.
Vous n'êtes pas nés sur les routes,
personne n'a jeté à l'égout vos petits
comme des chats encor sans yeux,
vous n'avez pas erré de cité en cité,
traqués par les polices,
vous n'avez pas connu les désastres à l'aube,
les wagons de bestiaux
et le sanglot amer de l'humiliation,
accusés d'un délit que vous n'avez pas fait,
d'un meurtre dont il manque encore le cadavre,
changeant de nom et de visage,
pour ne pas emporter un nom qu'on a hué,
un visage qui avait servi à tout le monde
de crachoir[1] !...

Comme Fondane, toutes les victimes ont
connu d'extrêmes douleurs et chagrins,
l'extrême solitude et le désespoir sans fin, et
pourtant, au moment de la suprême épreuve,
beaucoup d'entre elles ont appelé le nom d'un

---

1. Pierre Seghers, *La Résistance et ses poètes*, Éd. Seghers,
2004, p. 297.

être cher. Elles avaient conservé tout leur sens de l'humain, alors que leurs bourreaux s'étaient anéantis dans l'immonde inhumanité.

Une telle évocation du mal absolu et des malheurs indicibles qu'il a provoqués, et qu'il provoque encore, nous laisse sans voix. Je ne peux en dire qu'une chose, pour exprimer ma conviction profonde : si un jour le monde doit être sauvé, c'est avec toutes les victimes innocentes qu'il le sera.

QUATRIÈME MÉDITATION

Chers amis, au cours de mes précédentes méditations, nous avons pu voir que la vie a imposé la mort corporelle comme une de ses propres lois, cela afin que la vie soit vie, qu'elle soit en devenir. La mort n'étant que la cessation d'un certain état de vie, elle n'existerait pas si n'existait la vie. La mort corporelle, inéluctable, révèle paradoxalement la vie comme le réel principe absolu. Il n'y a qu'une seule aventure, celle de la vie. Cette aventure, rien ne peut plus faire qu'elle ne soit advenue dans l'univers et qu'elle ne se poursuive. Disant cela, je ne pense pas seulement aux croyants de toutes les religions qui ne doutent pas de cette vérité, je me réfère à ceux qui s'en tiennent sincèrement aux faits. Je pense à Spinoza affirmant que «l'essence de la vie est éternelle». Je pense aux Chinois sans croyance particulière qui ont fait leur cet adage déjà cité : «La vie engendre la vie, il n'y aura pas de fin.»

La vie comme aventure en devenir, pleine d'une virtualité de transformation et de métamorphose... Dans ce cas, posons enfin la question qui nous brûle la langue : qu'en est-il de la mort individuelle ? Qu'en est-il du rêve d'une vie éternelle qu'entretient chacun en secret ? Que nous est-il permis d'espérer ? Étant devenus des êtres de langage et d'esprit, nous savons que cette interrogation ne saurait trouver de réponse du côté de notre matière corporelle, manifestement destinée à la décomposition. Faut-il se tourner alors du côté de l'âme, cette part indéniablement unique et irremplaçable de chaque être, capable d'absorber en lui les dons du corps et de l'esprit ? La perspective d'une survie de l'âme est-elle concevable ? À cette question, n'attendez pas de moi que je réponde par une sentence à la manière d'un juge. Personne d'ailleurs ne peut le faire d'une telle façon, pour la simple raison précisément que la vie elle-même est une aventure en devenir. Je suis ici en méditation, non pas en cours magistral, et bien humblement, en votre compagnie, j'essaye d'avancer pas à pas en me tenant le plus près possible du vrai.

Penchons-nous d'abord sur l'idée qu'au moment de la mort d'une personne, son âme se libère de son corps et lui survit. Cette idée demeure ferme dans toutes les religions, et vivace dans de nombreuses cultures encore. On sait par exemple que dans l'islam, le Jugement général est le suprême Événement (*al-Waqi'a*) qui justifie la Résurrection comme une nouvelle Création; chaque âme connaît alors la réalité de Dieu et sa propre valeur. Du côté de l'hindouisme, écoutons l'enseignement d'un Ramana Maharshi: «L'existence de chacun est évidente, avec ou sans corps, aussi bien dans l'état de veille, de rêve ou de sommeil profond. Alors pourquoi vouloir rester enchaîné par le corps? Que l'homme trouve son Soi éternel, meure, et soit immortel et heureux.»

Voyons maintenant le cas de la Chine. Dans l'ancien temps, ce peuple relativement peu religieux adhérait d'instinct à la croyance en la nature pérenne de l'âme. L'idéogramme *hun,* «âme», contient d'ailleurs l'élément qui désigne les esprits ou les mânes sur lesquels la mort n'a pas de pouvoir. Vers le IVe siècle avant notre ère, la notion d'âme connaît une formulation plus précise. Elle est composée de deux parties complémentaires: *hun,* «âme claire ou raisonnable», et *po,* «âme sombre ou sensitive»; à la mort d'une personne, son âme claire gagne le ciel et son âme sombre réintègre la terre. Cette vision reste en gros celle du taoïsme. Par la suite, le bouddhisme introduira l'idée de réincarnation. Ces religions ont toutes deux le souci d'assurer que les âmes des défunts ne s'égarent ni ne deviennent des âmes errantes – on fait des prières à cet effet. À l'époque contemporaine, la société chinoise est à ce point bouleversée que tout devient confus, cela surtout après de longues décennies de campagnes lancées par les idéologues communistes contre toutes les formes de « superstitions ». Mais étrangement, même chez ces matérialistes résolus, il n'est pas rare que lors du décès d'une figure marquante de la révolution, la cérémonie de funérailles se déroule devant des banderoles ou tablettes portant des inscriptions telles que « Son esprit demeure à jamais vivant » ou « Son âme héroïque ne meurt pas ». Et Mao Zedong lui-même, sentant sa fin proche, dit à plusieurs reprises : « Je vais bientôt voir Marx. »

En Occident, marqué par le platonisme et toute la tradition judéo-chrétienne, la notion d'immortalité de l'âme est largement répandue et acceptée au moins jusqu'au milieu du XVIIIᵉ siècle. Jusqu'à ce qu'elle soit combattue, de plus en plus systématiquement, par l'athéisme. Toutefois, le débat entre les athées et ceux qui incorporent la dimension de l'au-delà dans leur vision de la vie n'est pas toujours aussi tranché, puisque entre eux s'intercalent les agnostiques. Aussi serait-il bon d'apporter des nuances dans notre observation. L'idée me vient ici d'évoquer certains faits particuliers ayant trait à l'âme et à la communion des âmes, qui ont fini par me toucher personnellement.

***

Quand on va de France en Italie par la côte méditerranéenne, passé Gênes et La Spezia, on longe la côte de la Ligurie en traversant une succession de petites villes, anciens ports de pêche adossés à la montagne, se lovant chacune au fond d'une baie à la courbe parfaite. Cette série de baies forme ce qu'on appelle le «golfe des Poètes», car ce coin d'une surprenante beauté est hanté depuis l'Antiquité par des générations de poètes, à commencer par Virgile et Dante. Au début du XIXe siècle, à cette longue lignée italienne sont venus se joindre deux poètes anglais, et non des moindres : George Byron et surtout Percy Bysshe Shelley. Celui-ci, avec sa femme Mary – qui sera connue plus tard pour avoir inventé le personnage de Frankenstein –, a élu domicile à Lerici en compagnie d'un couple d'amis. Les deux couples habitent une grande maison patricienne d'une lumineuse blancheur, surplombée par une colline à la luxuriante verdure. En sortant de la maison, on traverse un chemin qui mène au village et l'on se trouve directement sur la plage. Shelley connaît là une immersion totale dans la beauté de la nature, s'adonnant à une activité littéraire intense – il traduit Platon, Eschyle, Spinoza, Goethe... D'un autre côté, il est toujours en révolte contre la société anglaise, et tourmenté également par ses amours partagées entre sa femme Mary et Jane, qui vient leur rendre visite avec des amis et à laquelle il consacrera des vers sublimes. C'est dans ce contexte que lui parvient la nouvelle de la mort à Rome d'un autre poète de génie, John Keats, dans des conditions douloureuses et misérables. Terriblement malmené par les critiques, miné par la tuberculose, Keats a dû aussi fuir l'Angleterre. Profondément bouleversé, Shelley se met à composer une grande élégie, chant orphique dédié à Keats, long de cinquante-cinq strophes et intitulé « Adonaïs », qui reste son œuvre la plus connue. Lisons la dernière strophe :

Le souffle dont mon chant invoque la puissance
Descend sur moi ; la barque de mon esprit est
    emportée
Loin du rivage, loin de la foule tremblante

Quatrième méditation

Dont les voiles à la tempête ne furent jamais
  offertes.
La terre massive et le ciel sphérique se fendent !
Dans les ténèbres, voici que la terreur au loin
  m'entraîne ;
Tandis que, brûlant à travers le voile secret des cieux,
L'âme d'Adonaïs, ainsi qu'une étoile,
Veille en phare de la demeure où sont les Éternels[1].

Il convient de préciser que Shelley est un
athée déclaré, alors que pour Keats « la terre
est une vallée où poussent les âmes ». Pourtant,
au fond, les convictions spécifiques ont peu
d'importance. Dans cette dernière strophe,
Shelley est poussé par le désir de rejoindre l'âme
de Keats qui veille sur la demeure des Éternels :
« L'âme d'Adonaïs, ainsi qu'une étoile, veille en
phare de la demeure où sont les Éternels. »

Rejoindre l'âme de Keats, mais comment ?
Par la voie de l'eau. Car sur la tombe de Keats
à Rome, il est gravé : « Ci-gît le poète dont
le nom est écrit sur l'eau. » Comme par intuition, Shelley dit dans son poème : « La barque
de mon esprit est emportée loin du rivage » et
plus loin : « Dans les ténèbres, voici que la terreur au loin m'entraîne » vers le phare qu'est

---

1. *Poèmes*, trad. de Robert Ellrodt, édition bilingue,
Imprimerie nationale, 2006.

l'âme d'Adonaïs. Par intuition ou par prémonition ? Moins d'un an après, en compagnie d'un ami, Shelley fait une sortie en mer en bateau à voile. Un orage éclate, le bateau fait naufrage, le cadavre du poète est rejeté sur une plage près de Viareggio. On trouvera dans sa veste un recueil de Keats. Les êtres chers et les amis du poète, dont Byron, accourent. On monte un bûcher sur la plage même, et le corps est incinéré. Ce soir-là, tandis que la flamme s'élève vers le ciel étoilé, Byron, brisé par le chagrin, plonge dans la mer et nage aussi loin que le lui permet son énergie.

Je me suis ouvert à la littérature occidentale à quinze ans, en commençant justement par la poésie anglaise. Les portraits de Keats et de Shelley ornaient le mur de ma chambre. Keats mourut à vingt-six ans, Shelley à trente. Je pensais vivre, comme je l'ai dit, moins longtemps qu'eux. C'est à cette époque que je suis tombé un jour sur un poème de Shelley écrit sur les hauteurs des Apennins, tandis qu'assis sur un rocher, entouré de la senteur des pins et du bourdonnement des abeilles, il contemplait au loin la Méditerranée scintiller au soleil d'un après-midi d'été. J'ai été pris par un violent désir de vivre un jour la même scène. Or j'étais au fin fond de la Chine, en pleine

période de guerre. Je n'avais jamais vu la mer
et ne pensais jamais pouvoir l'approcher, sans
même parler de la lointaine Méditerranée ! Je ne
sais par quel miracle j'ai pu venir un jour en
Europe, je suis devenu un poète français, et mes
poèmes ont été traduits en italien, notamment
par un autre poète, Michele Baraldi ici présent.
C'est ainsi que je me suis vu attribuer un jour
le prestigieux grand prix de la Poésie de Lerici.
C'était en 2009, l'année de mes quatre-vingts
ans. Lerici ! On imagine mon émotion de me
retrouver, comme en rêve, en ce lieu jadis habité
par les figures tutélaires de mon adolescence.

Depuis le balcon de ma chambre, j'avais
vue sur la maison blanche qui était toujours
là, intacte, dans la fraîcheur de l'aube, dans
l'incandescence de midi, dans la gloire du soir.
Si proche, si familière qu'elle m'était devenue un temple intérieur, résonnant d'un haut
chant de lamentation et de célébration. Une
nuit de pleine lune, dans la rumeur des vagues
marines, j'ai entendu la voix à l'accent d'Oxford
murmurer à l'oreille du jeune homme de quinze
ans que j'étais resté : « Tu vois, notre cher Keats
a raison. La terre est bien un lieu d'initiation où
l'on se transmue en âme. Devenus âmes, nous
nous retrouvons, aucune distance ne peut nous
séparer ! » Entre Shelley et moi est née ainsi

une incroyable connivence qui, loin de clore ma vie, lui donne une ouverture insoupçonnée. Je suis entré résolument dans une autre « aire ».

***

Permettez-moi de relater un autre fait tout récent et plus personnel encore. Il y a quelques jours, j'étais en pleine préparation de la présente méditation lorsque j'ai reçu, venant des États-Unis et transmis par une amie qui assiste à nos séances, un courrier envoyé par la violoncelliste franco-chinoise Cécilia Tsan. Celle-ci exprimait le souhait de m'entendre parler de son père, sachant sans doute que je suis à présent le seul survivant de ceux qui l'ont connu. Cette demande m'a ramené d'un coup plus de soixante ans en arrière, au début des années cinquante – un temps si lointain qu'il me paraît appartenir à une vie antérieure.

J'étais alors un jeune homme plein de tourment et d'angoisse, du fait de mon exil et de mon incapacité à me débrouiller dans la vie pratique. Le père de Cécilia Tsan était un jeune homme comme moi, tout aussi inapte à faire face au quotidien, mais il avait la chance d'être marié et déjà père d'une enfant. Et surtout, contrairement à moi, il n'avait aucun doute sur sa vocation : être compositeur. Issu du conservatoire de Shanghai, Guo-ling – un prénom qui signifie «Âme du pays» – comptait parmi les plus prometteurs de sa génération. Secondé par sa charmante épouse, il venait en France pour perfectionner son art. À son propos, j'avais l'habitude de dire qu'il ne respirait que par la musique, et sans que je sache pourquoi, je le comparais d'instinct à Georges Bizet. Peut-être à cause de son extraordinaire sens du rythme et de la mélodie. Je me rappelle que c'est au cours de l'audition d'une de ses pièces, soutenue par un rythme envoûtant, que j'avais appris de lui un de mes premiers termes musicaux en français : basse continue. Par la suite, empruntant l'idée à Jacques de Bourbon-Busset, j'userais de cette notion, comme je l'ai dit plus haut, pour définir l'âme de chaque être. Tsan habitait la banlieue et il se déplaçait à vélo. Une nuit, il ne revint pas. Ayant heurté dans le noir un arbre, il était mort sur le coup, laissant derrière lui un silence béant, un chant stupéfait, rompu. Cécilia avait seulement quarante jours. On imagine par quel chemin de douleurs et de privations avait dû passer sa mère, déjà pauvre, pour élever seule ses deux filles.

Je n'avais jamais eu contact avec Cécilia avant qu'elle ne m'écrive il y a quelques jours.

J'avais seulement eu l'occasion d'entendre, dans les années quatre-vingt ou quatre-vingt-dix, sur France Musique, quelques-unes de ses merveilleuses interprétations. Et je m'étais alors exclamé : « Ah, l'âme de son père est passée en elle ! » Lorsque j'ai reçu sa lettre inattendue, ému par son écriture vibrante comme son archet, je lui ai adressé le poème suivant :

Âme charnelle, cette basse continue en chacun
Lorsque le toucher d'un autre le fait
Vibrer, résonner

Lentement alors s'élève
Éveillé puis émerveillé
Éveillant puis ensorcelant
Le chant de la haute enfance
Jadis éclatant puis oublié
Longtemps enfoui puis souvenu
Psalmodiant le présent de sa plénitude
Où le lys éclos rejoint enfin l'étoile...

L'Être n'est-il justement cette musique
Qui depuis l'origine
Cherche à se faire entendre
Qui attend
Chaque instant de chaque jour
Et chaque jour de toute une vie
Que la main sache enfin toucher la lyre ?

Émue à son tour par mon poème qu'elle apprend aussitôt par cœur, Cécilia propose de le transmettre à son ami le compositeur Éric Tanguy en vue d'une partition. Et elle ajoute : « La pièce pourrait s'intituler *Le Lys et la Lyre*, qu'en pensez-vous ? » Titre heureux, en effet. Le lien phonique entre les deux mots évoque celui qui existe entre l'être du lys et celui de la lyre. Il suggère à mes yeux le processus de transformation et de fusion qui ne manque pas d'advenir entre le lys fragile et « périssable » et le chant éternel de la lyre. Il m'a tout de suite inspiré cette pensée : le lys éclôt un jour en lyre.

Ce que je viens d'évoquer me donne la nette sensation d'une transmission d'âme à âme, la singulière conviction que, quelque part, quelque chose s'est enfin accompli. Et que le temps de la métamorphose peut d'ores et déjà se mettre en marche.

***

J'aimerais maintenant témoigner d'un sentiment personnel maintes fois éprouvé. Étant donné mon âge, j'ai plusieurs fois accompagné sur leur lit de mort des êtres chers. Des personnes dont je connaissais intimement la voix, le regard, la sensibilité, les passions, les frémissements et gémissements, les rires et les pleurs. Chaque fois, j'ai été saisi par le décalage qui existe entre l'être unique de la personne et le corps inerte gisant là sous mes yeux. Indéniablement, ce corps soudain immobile appartenait à un proche, à un ami, mais je savais que son être ne se réduisait pas à *cela*, qu'il était déjà incroyablement libéré, unifié, ailleurs. Il était d'ores et déjà présent autrement, et autrement plus présent. Je pensais alors à Cocteau qui, devant le pompeux convoi du cercueil de Giraudoux, frappé par une subite intuition, avait dit à ses amis : « Mais il n'est pas là, allons-nous-en ! » Je pensais aussi à la mort brutale de Camus qui avait été un immense choc pour tous. Beaucoup d'entre nous, par la lecture, connaissions bien cet être à l'intelligence aiguë et au tempérament passionné, mû par un urgent désir de vivre, et par une ardente quête de justice et de solidarité. La presse d'alors s'était ingéniée, par les récits et les images, à nous montrer ce qu'était devenu Camus : un amas de chairs sanguinolentes et d'os brisés. Je me rappelle qu'un sentiment de révolte – mot cher à Camus – m'avait soulevé : quoi ? toute sa dignité d'homme et sa noblesse d'esprit se seraient ramenées, en une seconde, à ce tas de débris ? Pour être absurde – autre thème cher à Camus –, cela l'aurait été en effet. N'était la circonstance tragique, cela aurait été grotesque, voire comique. Mais non, au-delà du comique ou du tragique de notre précarité, bien au-delà, il y a le haut fait d'être, le sacré fait d'être. Rien ne peut plus faire que cet homme-là, que cette âme-là n'ait pas été. Rien ne peut plus effacer ce qui constituait son unicité. Rappelons-nous la phrase de Jankélévitch : « Si la vie est éphémère, le fait d'avoir vécu une vie éphémère est un fait éternel. »

Mais Camus, comme tout humain qui meurt, reste tout de même un mystère. Au fond, qui est-il ? Qu'est-il devenu ? Pourquoi a-t-il été là, offrant ce visage singulier, portant ce nom particulier ? Son cerveau aura-t-il tourné pour rien ? Son cœur aura-t-il battu pour rien ? Ces questions, nous pouvons les poser à propos de nous-mêmes, et nous nous trouvons à nouveau devant le mur de l'interrogation ultime : d'où venons-nous, qui sommes-nous, où allons-nous ? Un mur qui renvoie néanmoins quelques échos. Car nous savons au moins une chose, c'est que nous venons de l'univers et que l'univers est bien tranquillement là, bien formidablement là, quoi qu'il nous arrive individuellement. Pour le reste, Dieu seul sait ce qu'il en est...

Dieu ? Ah, voici comme par inadvertance que le mot est lâché ! D'ailleurs, est-ce un simple mot ou un nom propre ? C'est en tout cas un vocable pour le moins controversé, qui rencontre l'adhésion des uns et suscite le rejet des autres. Je ne le prononce guère, du moins jamais à la légère, je peux même m'abstenir totalement de le prononcer. Mais dans ce cas, il faudrait avoir l'honnêteté d'inventer un autre nom pour désigner ce qui est arrivé, ce qui a imposé ces lois dont le fonctionnement s'est d'emblée révélé d'une précision et d'une sophistication stupéfiantes, et qui se maintient dans la durée. Ne saurait nous satisfaire, on l'a vu, la vision d'un univers qui se serait fait tout seul sans le savoir et qui, tout en s'ignorant de bout en bout, aurait été capable d'engendrer des êtres conscients mais éphémères comme nous, lesquels, l'espace de quelques secondes au sein de l'éternité, l'auraient vu et su. Pour que l'idée de Dieu soit à peu près acceptable par la plupart, tentons de partir d'un minimum, en le définissant comme ce par quoi l'univers et la vie sont advenus, ce par quoi la marche de la Voie est assurée.

Dans cette dernière phrase, peut-on remplacer le pronom « ce » par un « Celui », c'est-à-dire substituer à l'idée d'un principe celle d'un Être ? À nous qui sommes devenus des personnes, faites d'un corps, d'un esprit et d'une âme, Dieu ne peut nous paraître moindre. Nous cherchons forcément à entretenir avec l'En-Haut une relation d'être à Être. Quête bien légitime, car quelle relation pourrions-nous avoir avec un principe neutre et anonyme ? La pensée chinoise, qualifiée d'« areligieuse », ne se refuserait pas à une telle relation. Cette pensée affirme qu'au sein de la Voie réside le *shen*, le « divin », qui donne le *shen-qi*, le « souffle divin », ou le *shen-ming*, l'« esprit divin ». Ceux-ci peuvent être perçus comme une présence intime avec laquelle on est à même d'entrer en relation ou en dialogue. Le grand Zhuang-zi évoque d'ailleurs à quatre reprises dans son œuvre « Celui qui a fait toutes choses », *Zao-wu-zhe*.

Envisager Dieu nous diminue-t-il ? Au contraire, nous intégrant dans la marche de la Voie, cela ne peut que nous grandir. C'est ce qu'avait compris Rainer Maria Rilke, qui écrivait : « Il y a en moi, finalement, une manière et une passion absolument indescriptibles de faire l'expérience de Dieu... Ma vie durant, il ne s'est agi pour moi de rien d'autre que de découvrir et de vérifier cet endroit dans mon cœur qui me rendrait capable d'adorer dans tous les temples de la terre ce qui serait le plus grand[1]. »

---

1. Lou Albert-Lasard, *Une image de Rilke*, Mercure de France, 1953.

Nous avons besoin de nommer Dieu, parce que nous nous situons résolument dans l'ordre de la vie et que nous méditons sur notre condition limite, la mort. Nous avons besoin de dialoguer avec lui, de l'interroger sur les possibles issues. Est-ce trop prétentieux de nous poser en interlocuteurs de Dieu, en supposant même qu'il nous a peut-être créés pour cela ? Ici ne manque pas de se faire entendre la voix de ceux qui nous rappellent notre conscience d'un monde isolé et perdu après la révolution copernicienne. L'effroi, on s'en souvient, s'est emparé de l'Occident lorsqu'il a découvert que la Terre n'était pas au centre de l'univers, qu'elle n'était pas la favorite de Dieu, qu'elle n'était qu'une parcelle du système solaire. Effroi qui s'est amplifié lorsqu'on a su que ce système lui-même n'était qu'une parcelle minime d'une immense galaxie, laquelle n'est qu'une parcelle presque négligeable d'un ensemble sans mesure composé de milliards d'autres galaxies. Aujourd'hui encore, en prenant vraiment conscience de cet état de fait, comment ne pas rester bouche bée ? Toutefois, la stupeur passée, on peut se demander : « La Terre n'est pas au centre ? Dans ce cas, où est le centre ? » Pour ceux qui sont formés par la vision du Tao, dont le mouvement est circulaire et où tout se relie et se tient, l'univers peut être en continuelle expansion, il reste tenu par un Souffle qui circule et ne lâche pas. Si une telle vision est valable, tout point rejoint le Tout. Là où il y a un œil ouvert et un cœur battant, là est le centre.

Nous ne doutons pas, encore une fois, que nous sommes partie prenante d'une immense aventure, celle de la Vie. Mais à vrai dire, savons-nous exactement le rôle que nous tenons dans cette aventure cosmique ? Ne serions-nous pas des acteurs dans une pièce dont nous ignorons l'enjeu et le dénouement ? L'ignorons-nous totalement ? Sans doute pas tout à fait. Du mystère de la vie, nous en connaissons un bout ! Chacun de nous porte en soi ce que l'humanité porte en elle. Ce qu'elle porte en elle, ce sont toutes les conditions extrêmes de la vie, le paradis comme l'enfer, la cime comme l'abîme, l'élan vers la plus haute sphère et la capacité à une cruauté sans fond, des instants de félicité divine et d'atroces souffrances causées par le mal radical. En l'humanité, toutes les aspirations frustrées et tous les désirs inachevés creusent une infinie béance que seule l'éternité peut combler. Notre vérité n'est pas dans le nivellement et l'effacement, elle est dans la transmutation et la transfiguration. Nous n'aurons de vraie joie qu'en assumant douleurs et manques qui nous accablent, nous n'aurons de vraie paix qu'en prenant à bras-le-corps les corps broyés par les blessures et les tourments. La vraie vie est à ce prix.

Au cœur de l'humanité ont surgi des figures admirables qui répandent sur nous lumières et consolations. Elles font la grandeur de l'homme et nous tirent sans cesse vers le haut. Un jour, l'un d'entre nous s'est levé, il est allé vers l'absolu de la vie, il a pris sur lui toutes les douleurs du monde en donnant sa vie, en sorte que même les plus humiliés et les plus suppliciés peuvent, dans leur nuit complète, s'identifier à lui, et trouver réconfort en lui. S'il a fait cela, ce n'était pas pour se complaire dans la souffrance : il s'est laissé clouer sur la croix pour montrer au monde que l'amour absolu est possible, un amour «fort comme la mort», et même plus fort qu'elle, capable de dire de ses propres bourreaux : «Pardonne-leur, ils ne savent pas ce qu'ils font.» Ces paroles adressées à Dieu s'adressent à nous aussi, nous appelant à participer au pardon divin, à unir le devenir humain au devenir divin, et l'unicité de chaque être à l'unicité de l'Être même. Celui qui parle ainsi fait déboucher le tunnel de la vie sur l'Ouvert. Avec lui, la mort n'est plus seulement la preuve de l'absolu de la vie mais celle de l'absolu de l'amour. Avec lui, la mort change de nature et de dimension : elle devient l'ouverture par où passe l'infini souffle de la transfiguration.

Oui, avec lui, la mort s'est transformée en vraie naissance. Et cela s'est passé sur notre terre, à un moment crucial de notre histoire humaine. Personne n'est allé aussi loin. Quelle que soit la conviction de chacun, on peut admettre ce fait christique comme l'un des plus hauts qui soient venus bouleverser notre conscience.

Beaucoup, même parmi les athées ou les agnostiques, s'accordent sur ce point. Mais Dieu, que pouvons-nous en dire ? Que pouvons-nous lui dire ? S'il s'agit de parler *de lui*, comment ne pas être arrêté par la vanité de tout propos devant un si vaste sujet ? Et s'il s'agit de *lui* parler, comment ne pas en arriver rapidement aux reproches : pourquoi avoir créé un monde si mal fichu ? Pourquoi avoir toléré les ravages du mal ? Pourquoi rester ainsi silencieux devant le scandale de la souffrance innocente ? Pourquoi cette passivité qui a toutes les apparences de l'indifférence ?... Les questions se pressent sans que nous obtenions de réponse. Dieu reste en effet silencieux. Peut-être est-il tenu de le faire.

Ici, je propose que nous tentions le même effort que lors de la première méditation : renverser notre posture, inverser notre perspective ;

au lieu de toujours nous positionner en face du Créateur, de le dévisager en révoltés ou en quémandeurs, nous situer du côté même de la Création et imaginer ce qui est possible. Étrange audace, si ce n'est sacrilège. Mais nous sommes acculés à ce retournement qui pourrait être salutaire en nous aidant à y voir un peu plus clair, à comprendre, comme l'écrivait Teilhard de Chardin, que « créer n'est pas une petite affaire pour le Tout-Puissant, une partie de plaisir. C'est une aventure, un risque, une bataille où il s'engage entier. »

S'agissant de l'avènement de la vie, dès le commencement, le Créateur devait se trouver devant un dilemme. Tout comme nous, il eût souhaité un monde parfait. Pour cela, il n'avait qu'à créer un ensemble d'êtres parfaitement obéissants, de type robot. Il lève la baguette, tous se lèvent ; il baisse la baguette, tous se couchent. On n'est plus alors dans l'ordre de la vie et il ne peut en tirer aucune jouissance. Pour que les vivants parviennent jusqu'à la conscience, au point de pouvoir connaître l'univers créé, au point de pouvoir dialoguer avec le Créateur, il fallait qu'ils soient doués d'intelligence et de liberté. Condition plus nécessaire encore si la Création devait être animée par le principe d'amour.

Presque aussitôt surgit un problème qui transforma le processus de la vie en drame : le problème du mal radical, comme on l'a vu lors de la précédente méditation. L'homme, être doué d'intelligence et de liberté, lorsqu'il est mû par la volonté de possession et de domination, est capable de tout pervertir, causant des souffrances inouïes et menaçant de détruire l'ordre de la vie même. Compte tenu de cette situation, Dieu ne pourrait-il intervenir de temps à autre en adoucissant les choses au moyen d'onguents et de sparadraps, en les corrigeant à coups de règle et de matraque ? Non, bien sûr. Si Dieu est celui qui assure la marche de la Voie, il ne peut être capricieux. La vraie Création est une Donation totale, sans réserve ; elle ne saurait procéder par petits ajouts improvisés. Les confucéens, se référant à leur maître, affirment dans le *Livre du Milieu Juste* : « La voie du Ciel est constante et fiable ; elle n'altère ni ne trahit. C'est ainsi que la voie humaine sait à quoi s'en tenir. »

Dans cette perspective, le développement de la vie devient une immense aventure, semée de remarquables avancées comme d'imprévisibles périls. Aventure aussi bien pour les humains que pour Dieu. Plus précisément, il faudrait dire que l'aventure des humains devient celle même de Dieu : si les humains échouaient, ce serait un échec pour lui. Ce Dieu par qui la vie est advenue, par qui la marche de la Voie est assurée n'est pas celui qui s'est contenté de donner une chiquenaude initiale pour mettre en branle l'histoire, comme le disait Pascal du Dieu de Descartes. Non, il est le Dieu futur qui n'aura de cesse d'advenir, comme Moïse a pu l'entendre de sa bouche : « Je serai qui Je serai. » Le devenir humain fait partie de son aventure, il est donc lui-même en devenir.

Précisons que le Dieu futur est en même temps Dieu de souvenance. Car le vrai futur est la métamorphose de tout le passé vécu. C'est ainsi d'ailleurs que ce qui est advenu et ce qui adviendra forment un éternel présent. Sans rien oublier, Dieu accompagnera tout, recueillera tout, pour finalement tout transformer. C'est ce qu'avait compris, par exemple, à sa manière tout humaine, un Proust écrivant *À la recherche du temps perdu*. À la fin de son livre et de sa vie, il disait à propos de la mort de Bergotte : « Mort à jamais ? Qui peut le dire ? (...) Tout se passe dans notre vie comme si nous y entrions avec le faix d'obligations contractées dans une vie antérieure : il n'y a aucune raison, dans nos conditions de vie sur cette terre, pour que nous

nous croyions obligés à faire le bien, à être déli-
cats, même à être polis, ni pour l'artiste cultivé
à ce qu'il se croie obligé de recommencer vingt
fois un morceau dont l'admiration qu'il sus-
citera importera peu à son corps mangé par
les vers, comme le pan de mur jaune que
peignit avec tant de science et de raffinement
un artiste à jamais inconnu, à peine identifié
sous le nom de Vermeer. Toutes ces obligations
qui n'ont pas leur sanction dans la vie présente
semblent appartenir à un monde différent,
fondé sur la bonté, le scrupule, le sacrifice, un
monde entièrement différent de celui-ci, et dont
nous sortons pour naître sur cette terre, avant
peut-être d'y retourner vivre sous l'empire
de ces lois inconnues auxquelles nous avons
obéi car nous en portions l'enseignement en
nous, sans savoir qui les y avait tracées[1]...»

Quelles que soient son appréhension et sa
sollicitude pour nous, le Dieu de souvenance,
infiniment présent, garde le silence encore.
Jusqu'à nouvel ordre, il doit laisser l'univers en
transformation suivre jusqu'au bout la dynamique de son cours. Une transfiguration ne
pourra avoir lieu qu'à partir de tout ce qui

---

1. Marcel Proust, *À la recherche du temps perdu,
La Prisonnière*, Gallimard.

est donné. En ce sens, on peut dire que Dieu, obligé au silence, est à sa manière «fragile». C'est pourquoi nous autres humains, au fond de l'abîme creusé par le mal radical, nous entendons la chère voix d'Etty Hillesum, voix frêle mais combien lucide, combien résolue: «Ce sont des temps d'effroi, mon Dieu. Cette nuit pour la première fois, je suis restée éveillée dans le noir, les yeux brûlants, des images de souffrance humaine défilant sans arrêt devant moi. Je vais te promettre une chose, mon Dieu, oh, une broutille: je me garderai de suspendre au jour présent, comme autant de poids, ces angoisses que m'inspire l'avenir; mais cela demande un certain entraînement... Je vais t'aider, mon Dieu, à ne pas t'éteindre en moi, mais je ne puis rien garantir d'avance. Une chose cependant m'apparaît de plus en plus claire: ce n'est pas toi qui peux nous aider, mais nous qui pouvons t'aider, et ce faisant, nous nous aidons nous-mêmes[1].» Paroles qui font écho au célèbre poème de Rilke dont Etty est une fervente lectrice:

Que feras-tu, Dieu, si je meurs ?
Je suis ta cruche, si je me brise ?

---

1. *Une vie bouleversée, op. cit.*, p. 166.

Quatrième méditation

Je suis ton boire, si je m'altère ?
Je suis ta robe et ta mission,
Moi absent, tu perdrais tout sens[1]...

Singulière aventure commune, la seule qui
vaille en réalité, sinon, répétons-le, toute
la splendeur de l'univers serait vaine. Oui, il n'y
a qu'une seule aventure qui de toute éternité
devait arriver et qui pour toute éternité devra
continuer. De quelle manière ? Par un indéfini
prolongement du même ordre ? Tous, comme
Rimbaud, à un moment ou l'autre de notre vie,
nous nous sommes exclamés : « La vraie vie est
absente ! » Ce cri-là, à cause de tous nos ratages,
Dieu a dû le pousser aussi. Transmuer le processus de la vie en l'ordre supérieur de la vraie vie,
cette nécessité s'imposera comme une évidence.
Nous qui sommes chargés de toute l'expérience
de la vie d'ici, nous le voulons mais ne le pouvons. Lui qui a fait advenir l'univers et la vie,
s'il le veut, il le peut.

Comment s'y prendra-til ? Lui faudra-t-il créer
une nouvelle génération d'êtres inconnus qui
ne connaîtraient ni la souffrance ni la mort, et
qui prendraient la vie non comme un don inouï
mais comme une simple donnée qui leur serait

---

1. Rilke, *Le Livre d'heures.*

due ? Nous avons vu la non-valeur de cette fausse réalité lors de notre première méditation. Pour qu'émerge l'ordre de la vraie vie, Dieu aura besoin de rien de moins que de toute l'expérience vécue par l'humanité sur cette terre. Il aura besoin de tous ceux qui ont traversé une vie ici-bas, qui sont passés par la mort et portent en eux toute la soif et la faim, toutes les blessures et les manques, tous les élans sans fin vers la vraie vie. À travers toutes les épreuves de l'amour inaccompli, leurs âmes ont absorbé les dons du corps et de l'esprit. Devenus âmes, ils sont enfin libres, et aptes à vivre la vraie vie. Résonne alors à nouveau la sûre intuition du poète : « La terre est une vallée où poussent les âmes. »

Oui, il n'y a qu'une seule aventure, et si chacun de nous n'a qu'une seule vie, toute la Vie est une. Avoir été est un fait éternel, parce que cela fait partie de la sublime promesse : « Je serai qui Je serai. »

CINQUIÈME MÉDITATION

Certains poèmes, repris et retravaillés ici, figurent dans les recueils suivants : *Cantos toscans*, Unes, 1999 ; *Qui dira notre nuit*, Arfuyen, 2003 ; *Le Livre du Vide médian*, Albin Michel, 2004, rééd. 2009.

Les arbres de l'infinie douleur,
Les nuages de l'infinie joie,
Se donnent parfois signe de vie,
À la lisière du vaste été.

Les alouettes passent à travers
Sans rien saisir de leurs paroles,
Une source les retiendra seule
Pour donner à boire aux morts.

Mais ce qui a été vécu
      sera rêvé,
Et ce qui a été rêvé
      revécu.

Nous n'aurons pas trop d'une longue nuit

Pour brûler les branches tombées
      à notre insu,
Pour engranger l'odeur durable
      des fumées.

Que de l'autre royaume nous revienne
Ce que nous croyions perdu, que reviennent
Ceux qui en s'éloignant n'avaient rien dit,
Que leur cri muet soit notre pain quotidien,
Que revienne entière l'âpre déchirure :
Morsure et remords sont d'un seul tenant,

Douleur et douceur s'épaulent l'une l'autre.

Suivre le poisson, suivre l'oiseau.
Si tu envies leur erre, suis-les
Jusqu'au bout. Suivre leur vol, suivre
Leur nage, jusqu'à devenir
Rien. Rien que le bleu d'où un jour
A surgi l'ardente métamorphose,

Le Désir même de nage, de vol.

La mort n'est point notre issue,
Car plus grand que nous
Est notre désir, lequel rejoint
Celui du Commencement,
Désir de Vie.

La mort n'est point notre issue,
Mais elle rend unique tout d'ici :
Ces rosées qui ouvrent les fleurs du jour,
Ce coup de soleil qui sublime le paysage,
Cette fulgurance d'un regard croisé,
Et la flamboyance d'un automne tardif,
Ce parfum qui assaille et qui passe, insaisi,
Ces murmures qui ressuscitent les mots natifs,
Ces heures irradiées de vivats, d'alléluias,
Ces heures envahies de silence, d'absence,
Cette soif qui jamais ne sera étanchée,
Et la faim qui n'a pour terme que l'infini...

Fidèle compagne, la mort nous contraint
À creuser sans cesse en nous

Cinq méditations sur la mort

Pour y loger songe et mémoire,
À toujours creuser en nous
Le tunnel qui mène à l'air libre.

Elle n'est point notre issue.
Posant la limite,
Elle nous signifie l'extrême
Exigence de la Vie,
Celle qui donne, élève,
Déborde et dépasse.

S'abaisser jusqu'à l'humus où se mêlent
Larmes et rosées, sangs versés
Et source inviolée, où les corps suppliciés
    retrouvent la douce argile,
Humus prêt à recevoir frayeurs et douleurs,
Pour que tout ait une fin et que pourtant
    rien ne soit perdu.

S'abaisser jusqu'à l'humus où se loge
La promesse du Souffle originel. Unique lieu
De transmutation où frayeurs et douleurs
Se découvrent paix et silence. Se joignent alors
Pourri et nourri ; ne font qu'un terme et germe.
Lieu du choix : la voie de mort mène au néant,
Le désir de vie mène à la vie. Oui, le miracle a lieu
Pour que tout ait une fin et que pourtant
    toute fin puisse être naissance.

S'abaisser à l'humus, consentir
À être humus même, unir la souffrance portée

Cinq méditations sur la mort

Par soi à la souffrance du monde, unir
Les voix tues au chant d'oiseau, les os givrés
au vacarme des perce-neige !

Lorsque l'ange fait signe,
Nous savons que le double royaume est réuni,
Le grand vent parcourant de bout en bout
Toute l'aire terrestre,
Les paroles d'ici rejoignent enfin l'autre bord.

Ce qui est à vivre et ce qui est vécu,
Ce qui tend vers la joie et ce qui est en souffrance
Conjuguent un présent de deuil et d'attente,
L'arrêt du temps
N'est plus que latente transformation.

L'eau du fleuve s'évapore en nuage, retombe
En pluie, réalimente, invisible,
Le courant de l'éternel retour,
Nous reviennent visages meurtris, voix étranglées
Que transfigurent souffle et sang.

L'informulé et l'inaccompli se mêlant
À l'inattendu, à l'inespéré,
Confluant ici, deviennent fontaine de l'instant

Cinq méditations sur la mort

Qui désormais reprend tout, élève tout
Inépuisablement jaillissante.

Lorsque l'ange fait signe,
Nous savons que ce qui est né de nous
Ne cessera plus d'advenir,
En avant de nous, à notre insu,
Soudain nous dépasse, nous sauve.

Parfois les absents sont là
Plus intensément là
Mêlant au dire humain
Au rire humain
Ce fond de gravité
Que seuls
Ils sauront conserver
Que seuls
Ils sauront dissiper
Trop intensément là
Ils gardent silence encore.

N'oublie pas ceux qui sont au fond de l'abîme,
Privés de feu, de lampe, de joue consolante,
De main secourable... Ne les oublie pas,
Car eux se souviennent des éclairs de l'enfance,
Des éclats de jeunesse – la vie en échos
Des fontaines, en foulées du vent –, où vont-ils

Si tu les oublies, toi, Dieu de souvenance ?

Toi, à jamais jaillissement

Propageant d'onde en onde
Ton souffle ombrageant
Vers tout le créé qui afflue

Parfois tu salues
Là-bas
L'homme cloué immobile

L'homme enseignant et saignant
Qui n'aura de cesse
À ton instar
De redonner vie

Au bois mort

Parle-nous
Pour que plus rien ne soit perdu,
Ni la foudre embrasant les pins,
Ni l'argile chaude aux grillons.

Écoute-nous
Pour que nos voix à la tienne mêlées,
Jaillies de la gloire d'un bref été,
Fondent enfin le royaume.

Puisque tout ce qui est de vie
Se relie,
Nous nous soumettrons
À la marée qui emporte la lune,
À la lune qui ramène la marée,
Aux disparus sans qui nous ne serions pas,
Aux survivants sans qui nous ne serions pas,
Aux sourds appels qui diminuent,
Aux cris muets qui continuent,
Aux regards pétrifiés par les frayeurs
Au bout desquelles un chant d'enfant revient,
À ce qui revient et ne s'en va plus,
À ce qui revient et se fond dans le noir,
À chaque étoile perdue dans la nuit,
À chaque larme séchée dans la nuit,
À chaque nuit d'une vie,
À chaque minute
D'une unique nuit
Où se réunit
Tout ce qui se relie,
À la vie privée d'oubli,
À la mort abolie.

Nous voici dans l'abîme,
Tu en restes l'énigme.

Si tu dis un seul mot,
Et nous serons sauvés,

Tu restes muet encore,
Jusqu'au bout sembles sourd.

Nos cœurs ont trop durci,
En nous l'horreur sans fond.

Viendrait-elle de nous,
Une lueur de douceur ?

Si nous disons un mot,
Et tu seras sauvé.

Nous restons muets encore,
Jusqu'au bout restons sourds.

Te voici dans l'abîme,
Nous en sommes l'énigme.

L'heure est donc venue, Seigneur,
De dévisager la vie
Selon toi, non selon nous.
Accompagne-nous jusqu'au bout
Pour que tout l'or soit sauvé.
Mais toi, le perdu par nous,

Viendras-tu à l'heure, Seigneur ?

Nuit, mère des lumières,
En son sein Lumière est.

Déjà sang, déjà lait,
Déjà chair déchirée,

Déjà voie de tendresse,
Déjà voie de douleur,

Déjà prête à mourir,
Mais toujours renaissante,

Déjà ultime sursaut,
Mais toujours

    premier jet.

Pourtant il nous reste encore à célébrer
comme tu le fais
Célébrer ce qui, jailli d'entre nous,
tend encore vers la vie ouverte
Ce qui, d'entre les chairs meurtries, crie mémoire
Ce qui, d'entre les sangs versés, crie justice
Seule voie en vérité où nous pourrions encore
honorer les souffrants et les morts

Chacun de nous est finitude
L'infini est ce qui naît d'entre nous
fait d'inattendus et d'inespérés
Célébrer l'au-delà du désir, l'au-delà de soi
Seule voie en vérité où nous pourrions encore
tenir l'initiale promesse
Célébrer le fruit, plus que le fruit même
mais la saveur infinie
Célébrer le mot, plus que le mot même
mais l'infinie résonance

Cinq méditations sur la mort

Célébrer l'aube des noms réinventés
Célébrer le soir des regards croisés
Célébrer la nuit au visage émacié
Des mourants qui n'espèrent plus rien
        mais qui attendent tout de nous
En nous l'à-jamais-perdu
Que nous tentons de retourner en offrande
Seule voie où la vie s'offrira sans fin
        paumes ouvertes.

Quand se tait soudain le chant du loriot,
L'espace est empli de choses qui meurent.
Tombant en cascade un long filet d'eau
Ouvre les rochers de la profondeur;
Le vallon s'écoute et entend l'écho
D'immémoriaux battements de cœur.

Ce sentier qu'une nuit
     nous avons parcouru
Tu le prolongeras
     enfant de mon regard
Par-delà la forêt
     dort peut-être un étang
Ou une plage errante
     au gré de hautes vagues

Ce sentier constellé
     tu le prolongeras
Malgré vents et rosées
     enfant de ma mémoire
De ce côté l'automne
     a enfoui son secret
En toi le temps s'envole
     fou d'appels d'oies sauvages

Élégie de Lerici

À Shelley

Nous voici enfin réunis. Car jamais
Je n'ai oublié ton lointain appel
Lancé par-dessus les flots déchaînés,
Appel un jour entendu dans les tréfonds
D'une vallée chinoise... Ah, miracle
Du destin ! Je me découvre ici, en ce lieu
De tes adieux, ta voix soudain à portée
Du cœur, du corps : coup de soleil
Brûlant encore, ou doux chuchotis, apaisé.
Oui, nous voici réunis, moi ayant franchi
Les passes de l'espace et les cycles du temps,
Toi ayant, à bout d'errance, posé ici
Ta singulière empreinte. Blanche présence
De ce temple du chant, sur fond de collines
Surplombant la mer. Immuable blancheur
Néanmoins transmuante : noble diadème
Dans le feu du couchant, astre géant
Au cœur de la vaste nuit stellaire.

***

Cinq méditations sur la mort

Nuit, nuit, ténèbres sans borne. Que sait-elle
Du mystère de la lumière ? Que prévoit-elle
Pour le soleil et la planète Terre ? Et toi,
Qu'en as-tu vu, toi, le chantre élu,
L'éclaireur de notre insensée aventure ?
Poussière d'entre les poussières, vanité
Des vanités ? Vains, les abîmes sur lesquels
Nous nous sommes penchés ? Vaines, les cimes
Vers lesquelles nous avons tendu ? Vains,
Nos défis face aux tyrannies, nos effrois
Devant les cruautés humaines ? Vains eux-mêmes,
Ces moments d'extase que nous avons dérobés
Au circulant souffle rythmique ? Y a-t-il
Une autre patrie que l'habitat terrestre ?
Un enfer autre que la terre nôtre ?

***

Ô toi qui ressens, dis-nous ce que tu connais.
Dis-nous jusqu'à quel degré de l'atroce
L'homme est à même de creuser. Jusqu'au
Sans-fond ? L'oubli n'étant plus de mise,
La mort même n'y mettrait point fin ?
Toi qui as vécu de quête en quête, et péri
Par les vagues en furie, ces hautes vagues
Qui ne sont que de ce globe sans pareil,
Dis-nous ce que tu as appris sur son destin.

***

Élégie de Lerici

Lieu clos de damnation au sein d'un cosmos
Infini ? Lieu d'expérimentation sans fin
Pour le génie du mal ? Terre nôtre, astre noir !
Ce qui pouvait, il y a deux siècles, habiter
Ton imaginaire ? Arène aux lions où la chair vive,
Portée par les vivats, se laissait déchiqueter
En lambeaux ; salle de torture et bûcher public
Où la chair vive, à bout de cris, se consumait
Sous le fer rouge ou la flamme ; champ de bataille
Où, s'offrant aux armes blanches, la même chair
Se faisait taillader jusqu'aux os, puis livrer
Aux corbeaux. L'humanité, en constant progrès,
Progresse certes, trop souvent dans l'horreur !
Ce dont nous pouvons témoigner après toi :
Aux femmes enceintes éventrées voyant leurs bébés
Projetés en l'air, aux hommes contraints de creuser
Leur fosse pour y être enterrés vifs, se joignent
Les victimes sans nombre des monstres modernes,
Bombes à fragmentation, à neutrons... toujours plus
    superbes,
Armes chimiques, bactériologiques... toujours plus
    subtiles,
Wagons à bestiaux propres à broyer toute face
    humaine,
Usines à mort pour réduire en cendres âmes et corps.
Poussières d'entre les poussières, vanité
Des vanités ? L'oubli nous est-il encore permis ?
La mort peut-elle encore nous servir d'issue ?
Nous sommes fils des damnés, nous sommes
Fils des martyrs ! Leur soif, leur faim

Cinq méditations sur la mort

Sont les nôtres. Leurs sanglots ravalés
Sont les nôtres. Nous leur devons de respirer
Le printemps, d'expirer l'éternel été,
Nous leur devons de vivre la vie d'ici, d'y
Chercher encore les possibles jades enfouis.

***

Posons-nous, inlassables, les questions en chaîne :
L'homme rongé par le mal radical, ce mal
Qui vient de son ingéniosité que rien ne freine,
Peut-il sans honte se prétendre la mesure
De toutes choses ? N'est-il plutôt en mesure
De détruire l'ordre de la Vie même ?
N'est-il temps qu'il redevienne plus serviable,
Plus en accord avec sa prime vocation, et celle-ci
Plus en accord avec le tout de l'univers
Dont l'avènement, les Anciens l'ont vu,
Fut une gloire ? N'est-il temps qu'il célèbre
À nouveau l'impensable don de la Donation ?
Si le feu prométhéen demeure toujours vivant,
La voie christique demeure, elle, ouverte.

***

Oui, retrouver le bien qui était perdu,
Dévisager la vérité nue, et par là
Envisager la beauté sûre. Car tu fus Ariel,
Tu fus Alouette. Ange déchu ou daïmon natif,
Étais-tu nostalgie ? Étais-tu prophétie ?

Élégie de Lerici

Par-delà l'homme qui raisonne, n'étais-tu
Homme qui résonne à un chant inouï ?
Plus que voleur de feu, tu fus porteur
D'étincelles qui provoquaient l'illumination.
Lampe de mineur sur le front, tu devins
Traqueur des sortilèges de ce monde :
Voûte étoilée, miroitants champs d'azalées,
Grâce féminine épousant courbes de collines,
Eau d'un lac muée en vapeurs des nuées,
Et rires des enfants en sourires des amants,
Ardente poursuite d'un visage trop lointain,
Murmures assoiffés qu'un baiser clôt...
Puis, à mesure que tu pénétrais les deuils,
D'autres beautés, parfois, te foudroyèrent :
Regard noble et digne devant l'implacable glaive,
Corps supplicié que les mains tendres ressuscitent.

***

Étrange promesse de cette terre anonyme !
Toi, esprit libre, errant de lieu en lieu,
Tu atterris un jour sur ce point du globe,
Les hauteurs d'un mont des Apennins.
S'étale sous tes yeux, jusqu'à l'horizon extrême,
Le tant rêvé tombeau-berceau méditerranéen.
Le contemplant de toute ton âme en éveil,
Tu y devines les dieux endormis, et tu t'exaltes :
« Bénis soient l'heure présente, le sol d'ici ;
Béni soit notre corps par où passe le ressenti.

159

Cinq méditations sur la mort

Espace d'un éclair – mais en quel coin perdu
Au sein de l'immensité sidérante sidérale ?
Éclair de ce minuscule cœur qui bat là,
En cette après-midi d'un solstice d'été...
Béni soit le miracle qui fait que cela soit.
Cela est ! Cette improbable et indéniable Vie,
Une fois pour toutes – donc pour toujours –
Offerte. En ce lieu originel, la lumière
Renouvelle son avènement. De l'ombre sépia
Émanent jaune or et bleu saphir. Montent
Alors de l'humus les senteurs de lichens
Et d'herbes, adoucissant les chauds rochers
Aux laves mal éteintes. Se déploient alors
Les latents désirs en bourdonnement,
    vrombissement.
Tous les vivants que le hasard réunit – chacun
    unique,
Présence advenante – se révèlent nécessaires
À la beauté de cet instant. Ô noces mémorables
Des racines tortueuses et de la brume planante,
Des loriots intermittents et de la cascade continue !
– Qui est là, invisible, prêtant l'oreille, s'offrant à
La vue, au rendez-vous de l'incarné ? – Ici, ici,
Le parfum floral aux rayons d'abeilles que foulent
Les bonds d'une biche, la brise marine aux ailes
D'elfes que les sapins portent aux nues... »

***

160

Élégie de Lerici

Là-bas, très bas, une baie secrète ouvre
Ses bras d'amante en un geste d'invite.
Tu entends la voix des vagues qui te parle
Au plus intime : « Âme en peine, accorde-toi
Un répit, sois d'ici l'hôte, fais d'ici
Ton séjour. Car c'est bien pour ton rêve,
Si ton cœur en est digne, que tout cela
A été fait. » Obéissant, tu te lèves et descends
Vers la baie, vers ton suprême séjour
Qui se conjuguera à jamais au présent.
Ah, que viennent l'aurore, et la mer, éblouie,
En attente ; tu t'y plonges, porté
Par la clarté du matin du monde.
Que viennent le couchant, et la mer, conquise,
En offrande ; tu t'y plonges, livré
Aux éclats de tous les outre-mondes.
Femme en amour devient la mer, quand l'attire
La pleine lune ; bercées par le frêle esquif,
Tes paroles ravissent les âmes éprises.
Séjour divin ? Séjour humain ! Prenant part
Aux rires et pleurs des pêcheurs d'alentour,
Sous le soleil généreux, tu n'as garde d'oublier
Tous les damnés de ton ancienne contrée,
Leurs ruelles humides, leurs prisons moisies...
Comment nier cependant que la beauté a lieu ?
Rien ne peut plus faire qu'elle renie sa splendeur.
Son élan se perpétue ; nous-mêmes nous changeons,
Poussières d'entre les poussières, vanité
Des vanités ? D'où vient alors l'inapaisable
Émoi ? D'où ce lancinant effarement ?

161

Cinq méditations sur la mort

Perdu au sein de l'immense, espace d'un éclair,
Ce grain de poussière fait homme, par quelle
Magie, a vu, entendu, s'est ému, s'est mué
En langage, en échange, en longs chants
De révolte, de tourment, de louange ?
Chanter, c'est bien cela ! Chanter, n'est-ce pas
Résonner ? À quoi d'autre, sinon à l'Être ?
Chanter, vraiment chanter, c'est se hausser
À l'incessant appel de l'Être, c'est être !
Serions-nous par hasard, de ce cosmos,
Le cœur battant et l'œil éveillé ?
Au gré du Souffle, toujours plus hauts, plus clairs,
Ignorant les limites, nos répons à l'appel,
Chargés de tant de désirs inassouvis,
Vont jusqu'aux confins de l'éternel.

***

Séjour divin ? Séjour humain ! Oh oui,
La vraie beauté, s'étant affirmée gloire,
N'aura de cesse de resplendir
Et son envol point ne faiblira. Nous seuls,
Quêteurs impénitents, nous disparaissons.
Toi, en pleine félicité, tu n'es pas sans voir :
Si la mer accorde bienveillance au sol
Qui sait l'accueillir en toute humilité,
Ailleurs nullement elle ne renonce
À sa puissance de tempête. À l'homme
D'apprendre la juste mesure, à lui
De consentir au peu, au bref, à l'unique.

Élégie de Lerici

La voie de douleur mène à la voix intérieure,
Les tenailles du regret aux cris des entrailles.
Ayant été jadis cause d'une jeune morte,
Et venant de pleurer l'Ami, tu as compris
Qu'en toi le chant d'Orphée s'était accompli.
Malgré la violence de l'ultime arrachement,
Malgré les frissons d'horreur au moment
De l'épreuve, céder soudain au mourir
Te paraît, en fin de compte, équitable.

***

« Me voici étendu sur le bûcher, membres transis,
Cheveux trempés, dans la senteur du sable
Et des algues. Ô très chers qui m'entourez,
Ne vous effrayez point, ne vous affligez pas,
Ne vous laissez plus noyer par les larmes !
Abandonnez ce corps dévoré à présent
Par le feu. Les désirs que nous portons
Ne sont-ils plus grands que nous ? Si grands
Qu'ils rejoignent le Désir originel par quoi
La lumière fut. Laissez donc ma flamme
Monter et déchirer la nuit, laquelle, accueillante,
Ouvre la Voie lactée
De la Transfiguration. »

Ne laisse en ce lieu, passant
Ni les trésors de ton corps
Ni les dons de ton esprit
Mais quelques traces de pas

Afin qu'un jour le grand vent
À ton rythme s'initie
À ton silence, à ton cri,
Et fixe enfin ton chemin

Table

Le Livre de Poche s'engage pour
l'environnement en réduisant
l'empreinte carbone de ses livres.
Celle de cet exemplaire est de :
170 g éq. CO_2
Rendez-vous sur
www.livredepoche-durable.fr

PAPIER À BASE DE
FIBRES CERTIFIÉES

Composition réalisée par INOVCOM

Imprimé en France par CPI
en juin 2017
N° d'impression : 3023210
Dépôt légal 1re publication : octobre 2015
Édition 07 - juin 2017
LIBRAIRIE GÉNÉRALE FRANÇAISE
21, rue du Montparnasse - 75298 Paris Cedex 06

58/2236/7